トクベツキューカ、はじめました！

清水晴木 作
いつか 絵

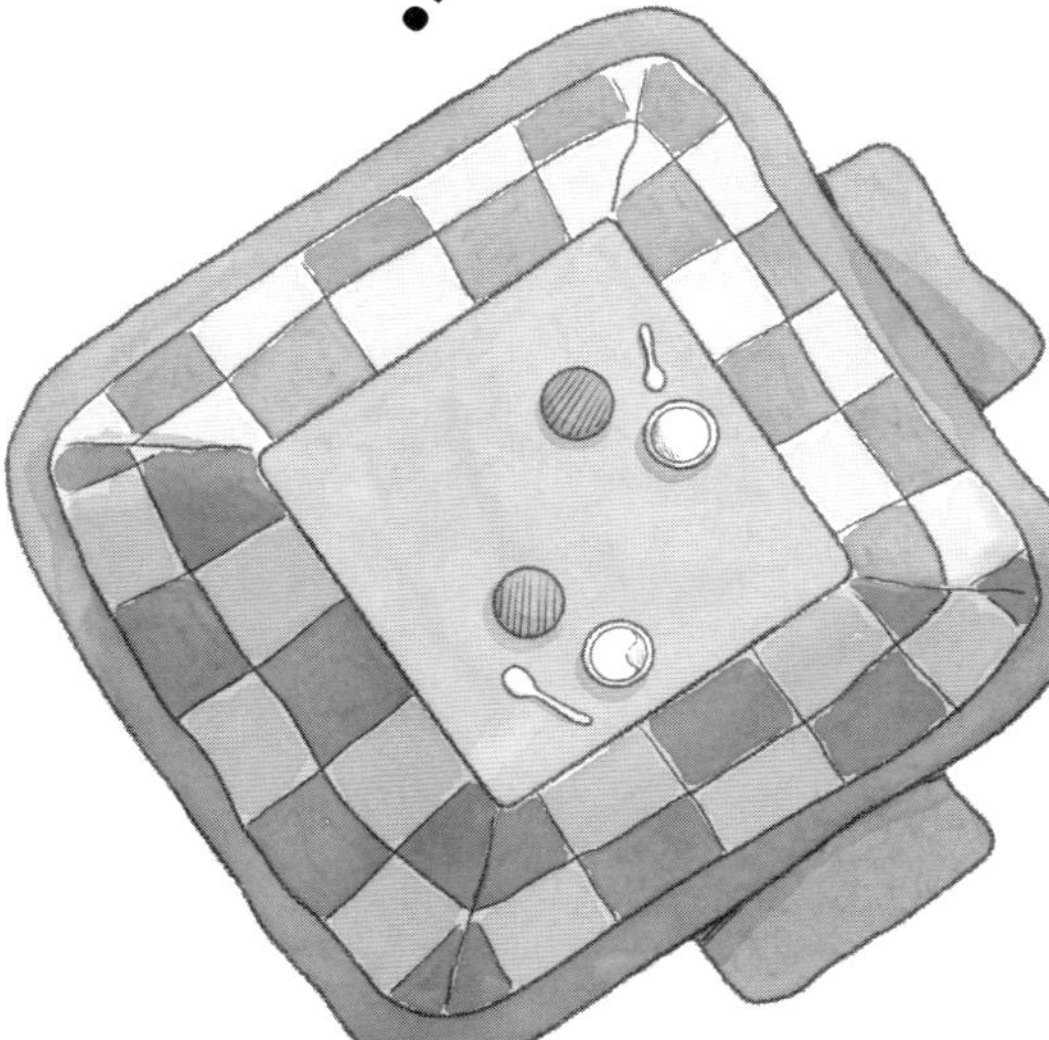

新入生のみなさん、こんにちは。

今日は、習千葉小学校《ならちばしょうがっこう》にある、特別な校則《こうそく》のお話をします。

一年の中で一日だけ、好きな日に学校を休んでもいいという特別休暇《とくべつきゅうか》の日、通称《つうしょう》トクベツキューカのことです。

その一日は、なんとなく気分が乗らないからといって休んだり、好きな場所へ行ったり、家族で出かけたり、友だちと遊んだり、何をするのも自由です。

しかも、学校を休む理由は、先生にも親にも、誰《だれ》にも言う必要はありません。
好きなときに、好きな理由で、休むことができます。

でも、一年の中で一日だけだからこそ、
どう使うのかは大切に考えてみてください。

もしかしたら、あなたにとって、かけがえのない一日になるかもしれません。

さあ、あなたは、どんな日にトクベツキューカを使いますか。

目次

第一話

きみを見つけた冬

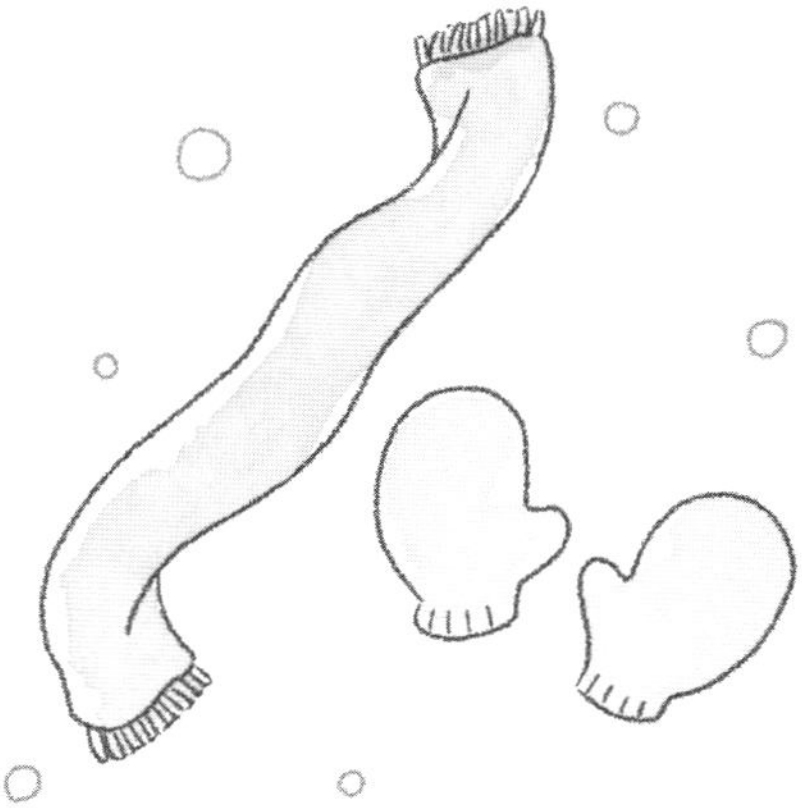

今日、学校を休んだ。

だって、雪が降《ふ》っていたから。

わたしの住んでいる千葉県習志野市《ならしのし》に雪が降るのは、どちらかというと珍《めずら》しかった。年に数日あるかないかくらいだ。

わたしは寒いのが苦手で、雪は特に苦手だ。見た目の白さから、寒さと冷たさが伝わってきて、ぞくっと体が震《ふる》える気がする。

こんな日は、外に出たくない。家でぬくぬくと、こたつの中で過《す》ごしていたかった。

わたしは暖《あたた》かいのが好きで、こたつは特に好きだ。エアコンとか、ストーブにはない温もりを感じる。でもこたつの中で寝《ね》ると、お母さんに怒《おこ》られるから、注意しないといけないけれど。

というわけで、わたしは雪の日という、この冬一番の寒さを避《さ》けるため、一年に一度しか使えないトクベツキューカを使った。

後悔《こうかい》は全然ない。というかずっと前からこの日のために準備《じゅんび》していたのだ。

雪が降ったら、トクベツキューカを使おう。

そう決めていたから、今まで冷たい風が吹《ふ》く日も、しんしんと冷えた真冬の一日も、耐《た》えてこられたのだ。

「こたつ最高ー……」

こたつの中で、ぐるんと寝返《ねがえ》りを打つ。ズル休みをしているような感覚も少しある。でも、ちゃんと校則《こうそく》にのっとった、トクベツキューカの使い方だ。

休む理由は、先生にも親にも、言わなくていい。

それがまた、『特別』って感じがして良かった。

「こたつ大好きー……」

隣《となり》から、わたしの言葉を真似《まね》する声が聞こえた。

妹の茉由《まゆ》だ。茉由は、わたしの二歳《さいした》下の小学三年生。わたしの真似をして、同じ日にトクベツキューカを使ったのだ。

共働きのお父さんとお母さんも、そのほうが心配はなかったのだろう。

まあ、雪の日にトクベツキューカを使うという、わたしの頭脳《ずのう》プレーを真似したくなる気持ちは、よくわかる。本当に、完璧《かんぺき》な作戦のはずだから。

「あっ」

そういえば、冷蔵庫《れいぞうこ》におやつのハーゲンダッツがあった。お母さんが、二人で食べていいよ、と言っていた。

でも今は、こたつから出たくない。なんとかこの状態《じょうたい》のままアイスを手に入れる方法は……。

「……ねえ、茉由《まゆ》。アイス食べたくない？」

茉由を、それとなく台所のほうに誘導《ゆうどう》する作戦だ。

「アイス？　外雪降《ふ》ってて寒いのに？」

「何言ってるのよ、今は家の中で、それにこたつの中は暖《あたた》かいじゃない。暖かいところで食べる冷たいものは、おいしいのよ」

「そうなの？」

あと、もうひと押《お》し。

「そうよ、あつあつのアップルパイに、バニラアイス乗っけて食べると、おいしいでしょ？」

「うん、それはおいしい！」

よしっ、もういけそうだ。

「じゃあ、ほら早く取ってきて」

「うん！」

茉由が、えいやっと気合を入れて、こたつの中から出て台所に向かった。

作戦成功だ。トクベツキューカを使うのにも、何をするのにも、作戦は大事なのだ。

冷蔵庫にアップルパイはないけど、ハーゲンダッツだけはある。それを調達して、茉由が素早《すばや》くこたつの中に戻《もど》ってきた。

「はい、茉由はバニラね」

「ありがとうお姉ちゃん」

わたしはクッキー&クリーム。まだ茉由は、クッキー&クリームのおいしさを知らない。

このまま知らなくていいと思う。取りあいになりたくないし、わたしがずっと食べていたいから。

「いただきまーす」

同じタイミングで、スプーンですくってパクリとひとくち。

途端《とたん》に甘《あま》さが口の中で広がった。ただの甘さじゃない、高級な感じの甘さだ。

「ハーゲンダッツ最高……」

「ハーゲンダッツ大好き……」

寒いのも雪も苦手と言ったけど、アイスは別だ。

しかもやっぱり、温かい部屋とこたつの中で食べるアイスは、格別《かくべつ》なのである。

それから二人して、同じタイミングで同じ言葉をつぶやいた。

「トクベツキューカ最高……」


――でも、完璧《かんぺき》だったはずの作戦も、徐々《じょじょ》に怪《あや》しい雰囲気《ふんいき》が立ちこめていた。

「うーん……」

――午後二時。なんだか暇《ひま》になってきた。というかやることもないから、最初から暇だったんだけど、今になって暇に飽《あ》きてきた感じだ。

お父さんとお母さんが仕事から帰ってくるまでも、まだ時間がある。茉由《まゆ》とゲームもしたけれど、レベルが合わないから、楽しさは微妙《びみょう》だ。あんまりやりすぎると、泣かせちゃうかもしれない。

勉強でもするのが一番なんだろうけど、せっかくのトクベツキューカだから、やりたくない。せっかくの休みに勉強なんてしたら、もったいなく感じてしまう。

「あっ、雪やんだね」

茉由も暇を持てあましていたのか、空を見てつぶやいた。

「本当だ」

確《たし》かに雪はやんでいた。こたつから出てもそんなに寒くない。腕《うで》をぐるっと回してみる。それから足ぶみをしてみた。

「うーん……」

体力がありあまっているのが、自分でもわかる。だって今日は、一日中こたつの中でごろごろしていた。トイレとご飯のときくらいしか体を動かしていない。

「雪、もう降《ふ》らないのかなー」

茉由《まゆ》が、また空を見つめてつぶやいた。

「どうだろうねー」

「雪降らないなら外出たいなー」

「外かー」

「うん、お散歩！」

「お散歩かー……」

もともと、茉由は、わたしのように寒さに弱いわけではない。ただわたしの真似《まね》をして、雪の日に休んだだけだ。今は、雪の中に出ていきたい気持ちが強いのだろう。

「うーん……」

もう一度うなった。悩《なや》んでいた。わたしも正直言うと、今はちょっと外に出たい。もう雪はやんでいる。寒いことには違《ちが》いないけど、それでもいっぱい着込《きこ》んで外に出れば、大丈夫《だいじょうぶ》な気がする……。

「よしっ、そしたらお散歩行こっか」

「やった、行こー！」

茉由がすっごく嬉《うれ》しそうな顔をした。そんなに喜《よろこ》んでくれるなら、この決断《けつだん》も悪くない。寒くて嫌《いや》になったら、すぐ帰ればいいいだけだ。今日は全部自由なのだ。作戦は柔軟《じゅうなん》に考えればいい。

「おー、真っ白だ」

外に出てみると、いつもとは違う別世界が広がっていた。あたりは真っ白。思ったほど寒くはない。朝はもっと吹《ふ》いていた風が、今はすっきりとやんでいた。これなら十分散歩も楽しめそうだった。

——ざくっ、ざくっ。

雪の上を歩くと、普段《ふだん》聞かないような音がする。わたしも茉由も、まだ誰《だれ》も踏《ふ》んでいないところをわざと選んで歩いた。わたしたちだけの足あとがついて、なんだか二人だけの特別な道ができあがっていく気がする。

「ゆーきやコンコン、あられやコンコン」

雪の上を歩きながら、茉由《まゆ》が歌い出した。

「コンコンじゃなくて、『こんこ』だよ」

わたしが歌詞《かし》を訂正《ていせい》すると、茉由が首をかしげた。

「そうなの？　コンコンじゃないなら、こんこってどういう意味？」

「いや、それはわたしもわからないけど……」

「雪だし、コンコンってキツネの鳴き声のほうが合ってると思うけどなあ」

「確《たし》かにそれはそうだけど……」

言われてみると、コンコンの方が正しく感じる。雪とキツネなんてぴったりだ。

そもそもこんこってなんだろう？　雪の降《ふ》る音？　いや、それも変だ……。考え続けていくと、ますますよくわからなくなってくる……。

「あっ」

そのとき、茉由が向かい側を指さして、声をあげた。

「あっ」

わたしも気づいた。

まだ足あとがそんなについていない雪の道を、ランドセルを背《せ》おってこっちに向かって歩いてくる、同い年くらいの女の子がいたのだ。

「うーん……」

不思議だった。まだ下校時間には、ちょっとだけ早い。というか女の子は、学校がある方角へ向かって歩いていた。だから学校から帰ってきたわけではない。だとしたら、なんでこんなところにいるんだろう。わたしたちはトクベツキューカを使ったから、今ここにいるわけだけど……。

「あの人も、トクベツキューカ使ったのかな？」

茉由が小さな声で、わたしに向かって言った。

「どうだろう……」

「お姉ちゃんと、同い年くらいだよね？」

「そうだと思う。けどあんな子、見たことないなあ……」

「不思議だね」

「うん、不思議……」

女の子は、わたしたちの方に向かって、歩き続けている。

「お姉ちゃん、話しかけてみれば？」

「えっ？」

「お友だちになれるかも」

「うーん……」

今さらこんなところでお友だちって。それに小学生だって高学年になると、友だちを作るのも、簡単《かんたん》にはいかなくなってくるわけで……。

「さっきはわたしが、ハーゲンダッツ取ってきたよ」

「なんで、アイスと一緒《いっしょ》にするのよ」

「アップルパイにアイス載《の》ってたほうが、おいしいでしょ。だからわたしとお姉ちゃんとあの子も、一緒に遊んだらもっと楽しいかも」

「なるほど……？」

言ってることはよくわからないけど、なんとなくわかる気もした。

そんなことを言っている間に、女の子はだいぶ近づいてきている。

三メートル。どうしよう。

二メートル。思いきって話しかけてみようか。

一メートル。あっ、もう目の前だ。

よし、決めた——。

「あ、あの！」

ちゃんと声は出てきてくれた。話しかけたいと思ったのは、今日は、まだ茉由《まゆ》とし
か話していなかったからかもしれない。同年代の子を見かけて、わたしも嬉《うれ》しくなっ
ていたんだ。

「……もしかして、あなたも今日トクベツキューカ使ったの？」

わたしがそうだったから、そう尋《たず》ねてみた。同じ日にトクベツキューカを使ってい
たのなら、なんだか仲良くなれそうな気がするし。

「……」

でも女の子は立ち止まってくれたけど、返事はしてくれなかった。ちょっとだけ気

まずい。いや、かなり気まずい……。

隣《となり》の茉由《まゆ》を見る。九歳《さい》なりに空気の悪さを感じているような、変な顔をしていた。

ちょっと笑いそうになったけど、がまんした。

それにしても、初めて見る子だ。同じ五年生ではないのかもしれない。下の学年の子ならびっくりさせちゃったかな。それでも一言ぐらいは、何か喋《しゃべ》ってほしいけど……。

「あの……」

わたしがその空気に耐《た》えきれずに、次の言葉を言おうとしたとき、女の子の体が動いた。

「あっ」

何も言わずに、そのまま歩いて行ってしまったのだ。

ざくっ、ざくっ、という音が響《ひび》いて、どんどん遠くに離《はな》れていく。

「……」

何か一言ぐらい、話してくれてもよかったのに。それともやっぱり、わたしが悪かったかな。

なんだか不思議な子だった。わたしが話しかけても、表情《ひょうじょう》も全然変わらなかった。

それでいてこんな時間に一人で歩いていて、学校のほうへと向かっていて……。

「……ねえお姉ちゃん」

それまでずっと黙《だま》っていた茉由が口を開いた。

「……どうしたの？」

「……あの人、もしかして雪女かな？」

「…………はぁ？」

思わぬ言葉だった。なんて子どもらしい発言だ。いや子どもか。わたしもだけど。

「そんなわけないでしょ」

「だってなにも喋らないんだもん。それに、こんな雪の日に現《あらわ》れたし……」

「別に、ちょっとびっくりして、返事できなかっただけでしょ」

「……じゃあ、もしかして、幽霊《ゆうれい》だったりして」

「えっ」

なんかその言葉を聞いた瞬間《しゅんかん》、ゾクッとした。寒さのせいじゃない。怖《こわ》い感覚だ。

「あの女の子は、わたしとお姉ちゃんだけにしか見えてなかったとか……」

「そんな、まさか……、でもそうか、だから喋《しゃべ》ることができないのにも理由があって……、こんな時間にも一人で歩いていて……」

そこでわたしは、すかさず言葉を足してツッコミを入れた。

「ってならないわよ」

下の雪を指さす。女の子の足あとは、ちゃんとあったのだ。

それでも茉由《まゆ》は、言いわけのように言葉を続ける。

「足があって、見た目はちゃんとした幽霊《ゆうれい》かも」

「それもう、ただのちゃんとした人でしょ」

「雪女じゃなくて、雪女子かも」

「それ雪が似合《にあ》う、ただの可愛《かわい》い女の子でしょ」

けどそう言いたくなるのも、ちょっとわかる。実際《じっさい》にさっきの女の子は、とてもきれいだったのだ。だから茉由も、幽霊とか雪女とか、そういう現実的《げんじつてき》ではないものに、結びつけたくなったのかもしれない。

それにこの真っ白な世界が、より一層《いっそう》、彼女《かのじょ》の存在《そんざい》を際立《きわだ》たせていたのもあった。

「雪みたいな女の子だったね」

雪の上に残った女の子の足あとを見ながら、茉由がつぶやいた。

たしかに、今にも消えてなくなってしまいそうなくらい、儚《はかな》くてきれいな女の子だった。

「……うん、そうだね」

またいつか、目の前に現《あらわ》れてくれるだろうか。

わたしは、もう一度会いたいと思ったけれど。

休

「えいっ」

「とおっ」

「うわっ、やられた」

「勝ったー！」

それから少しだけ雪で遊んだ。冷たいのは嫌《いや》だけど、結局、目の前に雪があるという誘惑《ゆうわく》に負けたのだ。先に雪玉を作ったのは茉由《まゆ》のほうで、わたしも応戦《おうせん》した。

わたしは茉由に三回当てなくちゃダメで、茉由はわたしに一回でも当てたら勝ちにした。そしたらわたしが二回当てたところで、茉由に当てられてしまった。

「ねえほら、ブルドーザー」

茉由が階段《かいだん》を降《お》りながら、手すりに載《の》った雪を落としていく。

「そんなことしちゃってお子様ね」

と言いながら、わたしも同じようなことをやっていた。傘《かさ》を広げて布地《ぬのじ》の部分を手すりに沿《そ》わせたまま歩くと、もっときれいに落とすことができる。手でやると冷たくなるのだ。茉由は、そんなこと気にしていなかったけれど。

そのあと公園に来た。まだ地面の雪は、そんなに踏《ふ》み荒《あ》らされていない。今度は雪の上を歩いて、足あとで文字を書くことにした。

「マ……ユ……、できたかな？」

踏んだり歩いたり、ときにはジャンプしたりしながら文字を書いていた茉由が、わたしを見て言った。

「なんかちょっとマヨっぽいかも」

ちょっとだけ下にも線が出ていて、「ユ」の字はきれいにできていなかった。「マ」の最後から、次の「ユ」の字にジャンプするときに、失敗したみたいだ。

「でも、マヨネーズ好きだからいいかも」

茉由はよくわからないけど、満足げだった。本人がいいのならいいのだろう。

そもそも茉由はわたしとは違《ちが》って、けっこう適当《てきとう》な性格《せいかく》なのだ。細かい作業は、特に雑《ざっ》っぽくなるところがある。

「次はおねえちゃんがなんて書く？　ケチャ？」

「いや、別にわたし、ケチャップ好きじゃないから。書くならリンでしょ」

とは思ったけど、頭の中にある考えが浮《う》かんでいた。

雪の上の文字……。

なんかこれって、とても素敵《すてき》だ。これでもしも想いを伝える告白《こくはく》とかしたら、ドラマとか少女漫画《しょうじょまんが》の中のできごとのようだ。

とてもロマンチック。特別な告白。もしかしてこんな告白をしたら、幼《おさな》なじみの大翔《ひろと》にも想いが届《とど》くんじゃ……。

「……スキって書く」

「えっ？」

茉由《まゆ》がびっくりした顔で、こっちを見た。

「マヨ、スキ、ってこと？」

「いやそういうことじゃなくて！　いい加減《かげん》マヨネーズから離《はな》れてよ。もう下校の時間でみんな帰ってくるでしょ、その前に大翔の家の前に、『スキ』って書くの。どう？　この特別な告白！　名付けて雪文字大作戦！」

わたしが自信満々《じしんまんまん》で提案《ていあん》すると、茉由も少しだけ考えたような顔をしてから、うなずいて言った。

「すっごくいいと思う！　すっごく特別な告白だよ、雪文字大作戦！」

やっぱりわたしの妹だけあって、感性《かんせい》はそっくりだったみたいだ。

でも、だとしたら、すぐに行動に移《うつ》すしかない。

時間は、もうギリギリだったから。

「茉由、行くよ！」

「うん！」

雪の中をざっくざく走った。転ばないように、通りを走る車には注意して。

――それから大翔の家の前に着いた。幼稚園《ようちえん》のころからの幼なじみだから、家もわたしの家のすぐそばだ。

「早くしないと、大翔帰ってきちゃうから茉由も手伝って！」

「うん！」

もう下校の時間は過《す》ぎている。既《すで》に歩いて向かってきているに違《ちが》いない。わたしは急いで「ス」の字を作った。公園のときよりももっとでかい「ス」の字だ。

一生懸命《いっしょうけんめい》雪を踏《ふ》んでいると、疲《つか》れてくる。ここまでくるのにも走ったし、その前には雪合戦もした。

あれっ、よく考えたらわたし、雪の日をゆっくり過《す》ごすためにトクベツキューカを使ったのに、なんだかいつもより大変なことしていないだろうか。

わたしは一体何をしているんだろう。いや、でも大翔《ひろと》に想いを伝えるためだから……。

「あっ」

そのとき、離《はな》れた向こう側から大翔の姿《すがた》が見えた。

「茉由《まゆ》！　隠《かく》れるよ！」

「えっ、うん！」

ずっと「キ」の字を作っていた茉由の手を引っ張《ぱ》って、物陰《ものかげ》に隠れる。

まずは、あの大きな「スキ」の字を見てもらう。それから大翔がびっくりしたところに、わたしが姿を現《あらわ》して、そしたら大翔も、わたしからのメッセージだってわかって、それでこの特別な告白《こくはく》に、大翔も感動して……。

「雪文字大作戦スタート……！」

大翔が、家の前まで来た。

雪のメッセージに気づいたみたいだ。
じっくりと地面を見つめている。
そこにわたしの想いが、書かれていた。
スキ、という告白の言葉。
まっすぐな二文字。
この特別な想いが、大翔に届《とど》いてほしい。
そしたら今日という雪の日が、わたしにとっても特別な日になるわけで――。
「……」
大翔が顔を上げる。
わたしはそのタイミングで、大翔の前に姿を現した。
大翔がわたしのことを見つめる。
「……これ、書いたのお前か？」
わたしは、こくりとうなずく。
そのまま、わたしも大翔のことを見つめた。

地面に書いた想いが、ちゃんと届《とど》くように。

そして、大翔《ひろと》がわたしを見つめながら言った――。

「……お前、腹減《はらへ》ってるのか？」

「はっ？」

意味がわからなかった。一体何を言っているのだろうか。わたしの想いを知って、そんな言葉が飛び出してくるなんて……。

「あ、あんた、何を言ってるの？」

「だって、『スシ』って書いてあるじゃん。こんなにデカく書くくらい、寿司《すし》食べたいんだろ？」

「はっ!?」

その言葉を聞いてから、わたしも地面を見つめた。そして遅《おく》れて気づいた。「キ」の字の最後の線が、完全に離《はな》れてしまっている。確《たし》かにこれだと「シ」に見えて、「スシ」になってしまっている。茉由《まゆ》の雑《ざつ》っぽい作業をしがちな適当《てきとう》な性格《せいかく》が、ここでも出てしまったのだ。わたしも茉由が書き終わる前に、腕《うで》を引いてしまったのはあるけれど……。

「そんな……」

わたしの想いは、なにも伝わっていなかった。それどころか、ただの食いしんぼう扱《あつか》いされてしまったのだ……。

「ってか、今日、トクベツキューカ使ったんだな」

「えっ、まあそうだけど……」

「今日みんなで雪合戦したり、雪だるま作ってめっちゃおもしろかったぞ、こんな日に休むなんてもったいねえなあ」

「そ、それは……」

わたしは寒いのは苦手で、雪はもっと苦手だから休んだのだ。

でもそんな楽しそうな感じで言われると、ちょっとうらやましくなってくる。

「まあ、明日は学校くるよな？　だいぶ雪もとけてたけど、また後から降《ふ》ってくるみたいだし、まだ遊べるだろ。今日は早く家帰って、たらふく飯食えよー」

そう言って大翔が、たたっと走って家の中へ入っていく。

食いしんぼうキャラのイメージは、しっかりついてしまったみたいだ。

特別な告白《こくはく》なんて、しなければ良かった。

雪文字大作戦、大失敗だ……。

今はわたしこそ雪のように、とけて消えてしまいたかった……。

休

そのあとに、またちょっとだけ茉由《まゆ》と雪合戦をした。今度は三発連続で、わたしが茉由に当てて勝った。別に、さっきの作戦が失敗した恨《うら》みを込《こ》めていたわけではないけれど。

それから茉由は「もうおなかも空いたし、疲《つか》れちゃった」と言って、先に一人で家へ帰っていった。お母さんも帰ってくるころだから、確《たし》かにタイミングとしてはちょうどよかった。

わたしは、なんだかまだ帰りたくなかった。大翔《ひろと》に言われた通り、この雪の日に休んだことに、もったいなさを感じていたのかもしれない。

「あっ」

そんなことを思っていると、また雪が降《ふ》ってきた。地面に残った真っ白な雪に、今度はふわふわとした雪が舞《ま》いおりる。

作戦が失敗して、落ち込んでいたわたしへのプレゼントだろうか。でも、もともと雪は好きじゃなかった。

それなのに結局、雪が降っている間にも、外にいることになってしまった。自分でも何がしたいのか、わからなくなっていた。

「雪か……」

それでもやっぱり雪って、なんだか特別感があるのは確かだ。

よく雪が降る町なら、そんなことも思わないだろうか。

この真っ白な世界も、普通《ふつう》に感じたりするのだろうか。

でも千葉の町に住むわたしには、この目の前の光景は、とても特別なものに思えてしまう。

「あっ」

今度は雪じゃない。

まっすぐ向かいに、ある子を見つけた。

さっきの、雪みたいな女の子――。

「……」

真っ白な世界の中を、女の子が歩いている。

今は幽霊《ゆうれい》にも、雪女にも見えない。

どちらかというと、雪の妖精《ようせい》みたいだ。

真っ白な世界を一人歩く女の子の姿《すがた》は、それくらい神秘的《しんぴてき》なものに見えた。

わたしは、ただその姿を見つめる。

だから女の子も、そのまま通り過《す》ぎてしまうのかと思った。

――でも違《ちが》った。

女の子は、わたしの目の前までやって来て立ち止まった。

「あの……」

そう言いかけたあと、少し迷《まよ》っているみたいだったけど、ちょっと待っていたら言葉が出てきた。

「……雪がきれいだね」

「うん、きれいだね」

話しかけてくれたことがなんだか嬉《うれ》しかった。だから今度は、わたしの方から雪についての話をしてみる。

「そういえばさ、こんこってどういう意味か知ってる？」

「こんこ？」

いきなり変なことを聞いてしまった。でも茉由《まゆ》に聞かれたときから、ずっと気になっていたのだ。説明が足りなかったかもしれないけれど。

「うん。ゆーきやこんこ、の『こんこ』」

「あっ知ってる」

女の子が、少し明るい顔になって言った。

「確《たし》か……、来い来い、って意味だよ」

「来い来い？」

「……うん、雪よ来い来い、どんどん降《ふ》ってこいって感じ」

「そうなんだ、キツネの鳴き声とか雪の降る音とは関係ないんだね。それなら今みたいに、雪が降ってるときに言うのが、ぴったりなんだね」

わたしは、空を見あげて言ってみる。

「ゆーきやこんこ」

ずっと降ってほしくないと思っていた雪なのに、今はどんどん降ってこいと口にしているなんて、不思議だ。

「……ゆーきやこんこ」

女の子も少しだけ恥《は》ずかしそうにしてから、そうつぶやいた。

かすかに歌っただけなのに、とてもきれいな歌声だった。

繊細《せんさい》で、とけてすぐに消えてしまう、雪のような歌声だ。

そういえば、こんこのことよりも、もっと先に話すべきことがあった。

「あっそういえば、わたし、相馬凛《そうまりん》って言うの。いま五年生。あなたは？」

「えっと……」

また少しだけ恥ずかしそうにしてから、答えてくれた。

「わたしも五年生。名前は青山有希《あおやまゆき》……。希望が有るって書くんだけど……」

「ゆき！」

同じ学年ということよりも、思わず名前の方に反応《はんのう》してしまう。だってその名前が、とても似合《にあ》っていたから。

「有希ちゃん、ゆきって名前がぴったりだね」

「そうかな？」

「うん、雪みたいに真っ白できれいな女の子だな、って思ってたから」

「ありがとう、そんなこと言われたの初めてだけど、雪は好きだから嬉《うれ》しい」

有希ちゃんが照れた顔をして言った。

わたしは今まで雪はそんなに好きじゃなかったけど、雪が好きな有希ちゃんのことは、好きだなって思った。

だから歩き出して、少し離《はな》れたところで「ゆーきやこんこ」と、有希ちゃんに向かって言ってみた。

有希《ゆき》ちゃんは、きょとんとした顔でこっちを見ている。

「有希ちゃん来い来い、って意味で言ってみたんだけどどう？　このまま一緒《いっしょ》に雪で遊ぶの。わたし、まだ遊び足りなくて」

「わたしに来い来い……」

「うん」

「……わたし、行ってもいいのかな？」

「うん、有希ちゃんが来てくれたら嬉《うれ》しいよ」

わたしはその言葉をそんなに深く考えないで言ったけど、有希ちゃんはなんだかとても嬉しそうな顔をして、「ありがとう……」と言って、でもそれから泣きそうな顔にもなって、わたしのそばに駆《か》け寄《よ》って来てくれた。

そして二人で、公園のある方へと歩き始める。

「ゆーきやこんこ」

わたしがまたそう言うと、今度は有希ちゃんが、「ゆーきは、行く行く」と言った。

それがおかしくて、公園に着くまでに何度か同じやりとりをした。
なんだか明日は、学校に行くのが楽しみだった。
雪の日も、そんなに悪くないのかもしれない。
雪が降《ふ》ったおかげで、こんなにも素敵《すてき》な友だちと出会うことができたのだから。

第二話

わたしたちだけの合図と春

「ねえ、さくらちゃんはゲームのほうが好きだよね？」

「違《ちが》うよね、ゲームよりダンスのほうが好きだよね？」

「そんなことないよね、さくらちゃん、前にスプラトゥーンやったときもすごいうまかったもん」

「さくらちゃんダンスもうまいよ、YouTube《ユーチューブ》とかTiktok《ティックトック》のダンスもすぐ踊《おど》れちゃうんだから」


……わたし、困《こま》ってます。

クラスのお昼休み、完全に友だち同士《どうし》の板ばさみにあっています……。


ことの始まりは、習千葉小学校《ならちばしょうがっこう》の六年生として、最後に使うことができるトクベツキューカのせいだった。

みんなで、いつトクベツキューカを使うかを話し合って揉《も》めていた。ちょうど今月の平日に、ゲームとダンス、両方のイベントがあるのだ。

普段《ふだん》からゲームをするのが好きな子たちは、一緒《いっしょ》にトクベツキューカを使う日を合わせてイベントに行こうとしているし、ダンスが好きな子たちも同じように、予定を合わせようとしていた。

わたしは二つのグループのどちらかに、はっきりと所属《しょぞく》しているわけではない。両方とも時々《ときどき》顔を出したり出さなかったり、ちょうど中間あたりにいた。

でもそのせいで、こんな状況《じょうきょう》になってしまった。どちらを選んでも波風が立ちそうだし、どちらを選んでも正解《せいかい》にならない展開《てんかい》。

……はっきり言って、わたし、困ってます。

といっても、元から優柔不断《ゆうじゅうふだん》なわたしも、悪いんだろうけれど……。

「ねえ、さくらちゃんはどうするの？」

「どっちにくるの？」

「うーん……、どうしようかな……」

ゲーム派《は》の子たちもダンス派の子たちも、なんだか気合が入っている。

今はちょうど、四人と四人。わたしが入ったほうが、人数でも勝つことになるから、相手と競いたくなるような気持ちになっているのかもしれない。

でも、そんな大事な一票を投じることになると思うと、ますます決められなくなってしまう……。

——そんなとき、チャイムが鳴った。

キンコーンカンコーン——。

「あっ」

昼休みの終わりの鐘《かね》だ。わたしにとってはある意味、救《すく》いの鐘だった。

あと五分後に授業《じゅぎょう》が始まるから、みんな準備《じゅんび》をしなくちゃいけなくなる。

「さくらちゃん、ちゃんと決めといてね」

「そうだよ、どっちにくるのかはっきりしてね」

「うーん……、うん」

最後の返事も、あいまいになってしまった。でも本当にどっちか、今のところちゃんと決められそうになかった。

「はぁ……」

自分の席にたどり着いてから、小さくため息をつく。

その声にすかさず反応《はんのう》したのは、隣《となり》の席に座《すわ》っていた悠真《ゆうま》だった。

「女子は大変だなあ」

さっきのやりとりを、見られていたようだ。

「……男子だってああいうのはあるでしょ、サッカー派と野球派で分かれてたじゃない」

「でもおれは迷《まよ》わないもん、ズバッと決めるね。野球一択《やきゅういったく》。習志野高校《ならしのこうこう》に行って甲子園《こうしえん》に出て、それからドラフト一位で、ロッテに入るところまで決めてるから」

「へえ、すごいね……」

悠真は前にもこんなことを言っていた。クラスの中でも一番野球が上手《うま》いから、本当に実現《じつげん》するかもしれない。

わたしはゲームもダンスもそれなりにできるけど、悠真のように将来《しょうらい》の夢《ゆめ》とか考えているわけではなかった。友だちの中にはダンサーやゲーマーになりたい、って言っている子はいるけれど。

「ロッテってさ、カモメがトレードマークなんだよな。だけど鮎川《あゆかわ》みたいに、両方にいい顔してるやつ、イソップ童話の物語の中にも出てくるんだけど、どんな動物か知ってるか？　同じ空を飛ぶ生き物なんだけどさ」

「なによ」

その言い方だと、いい動物は出てきそうになかった。

「コウモリだよ、コウモリ女子だな」

「コウモリ……」

空を飛ぶ生き物だけど、鳥ではなかった。黒くて不気味なイメージが、一瞬《いっしゅん》で頭の中に湧《わ》く。間違《まちが》いなくカモメよりも人気はないだろう……。

でもそこでフォローの声が、後ろの席からかかった。

「わたしはコウモリ好きだけどなあ、バットマンっていう映画《えいが》、お父さん好きだったし」

そう言ってくれたのは凛《りん》ちゃんだった。

そして隣《となり》に座《すわ》っていた有希《ゆき》ちゃんも、「どっちか一つなんてすぐに選べないよね」とやさしく言葉をかけてくれる。

「二人とも、ありがとう。やさしい……」

凛ちゃんも有希ちゃんも、六年生になってから初めて同じクラスになった女の子だ。いつも一緒《いっしょ》にいて、委員会も同じ放送委員会に入っているくらい仲良しの二人組だ。

「持つべきものは友だちね、これが女子の友情《ゆうじょう》の厚《あつ》さよ、わかった？」

「でも今鮎川は、他の女子の友情の厚さに板ばさみにされて苦しんでるじゃん」

「ぐぬっ」

確《たし》かに、悠真《ゆうま》の言う通りだった。

——キンコーンカンコーン。

そして授業開始《じゅぎょうかいし》のチャイムが鳴って、担任《たんにん》の西方先生《にしかたせんせい》が入ってくる。

「はいみんな授業始めるよー、今日も元気にいこうね。それじゃあ日直さん、号令」

「はい。——起立、気をつけ、礼」

今度はチャイムと西方先生《にしかたせんせい》に助けられた。

休

「どうしよう……」

帰り道、まだ答えは何も出ていなかった。頭の中で、もやもやとした気持ちがずっと残っている。ダンスとゲーム、どちらにすればいいかなんて、今のわたしには決めることができない。

もうここまで来ると、どちらを選べば一番穏《おだ》やかに済《す》むか、なんてことを基準《きじゅん》にして考えていた。どっちなら平和に、この争いが終わるだろう。

でもこんなことを考えているから、悠真《ゆうま》にコウモリなんて言われるのだろうか。何か良い解決法《かいけつほう》が見つかればいいんだけど……。

「んっ……?」

そんなことを考えながら歩いていると、道端《みちばた》に、一人の女の子がいるのに気づいた。

しゃがんで地面を見つめている。あれは確《たし》か同じクラスの……。

「柊《ひいらぎ》さん……」

柊志保《しほ》さんだ。クラスでは話したことがない。今まで一度も同じクラスになったことがなかったというのもあるし、元からそんなにおしゃべりな子ではなかったのだ。

柊さんは、わたしが名前を呼《よ》んだことに気づいて、こっちをチラッと見た。でもすぐに視線《しせん》を地面に戻《もど》してしまう。

「……柊さん、何してるの？」

柊さんは何かを見つめている。だからわたしも気になって声をかけた。

でもそのあと、すぐに後悔《こうかい》した。

「カマキリ見つけたの」

「ひっ」

──カマキリがいた。思わず声をあげてしまう。わたしは虫が苦手だ。というかクラスの中でも、虫が得意《とくい》な女の子なんてそんなにいない。柊さんは別みたいだけど……。

カマキリは、手のカマを向けてきていた。威嚇《いかく》のポーズだ。人間よりもずっと小さな体なのに、わたしの方が怖《こわ》くなってしまう……。

「……柊《ひいらぎ》さん、虫好きなの？」

わたしが尋《たず》ねると、柊さんはこくりと頷《うなず》いてから答えてくれた。

「うん、好き。とても」

「そうなんだ……」

続く柊さんの言葉に、わたしは驚《おどろ》いた。

「カマキリってかわいいよね」

「かわいい……？」

柊さんは冗談《じょうだん》ではなく、本気でそう言っているようだった。とてもじゃないけど、わたしにはかわいくなんて見えない。

というかやっぱり怖い。あのカマが危険《きけん》な凶器《きょうき》みたいだ……。

「えっ」

そしてそこからの柊さんの行動は、わたしの予想をはるかに超《こ》えていた。

「ひ、柊さん？」

突然《とつぜん》、柊さんが、カマキリの胴体《どうたい》の辺りをつまんで持ち上げたのだ。

「……ひ、ひいいらああ！」

柊さんの名前と悲鳴が混《ま》ざって、変な声で叫《さけ》んでしまった。

柊さんがカマキリを持ち上げたことで、カマキリがわたしの顔のそばまできたのだ。

「ひいらあ！」

そのままわたしは、急いで走り去る。

もう運動会のかけっこよりも、必死の全力疾走《ぜんりょくしっそう》だった。

幽霊《ゆうれい》を見るとかよりも怖い、リアルな恐怖体験《きょうふたいけん》だった……。

「カマキリ怖い、カマキリコワイ……」

今は夜ご飯を作っているお母さんのそばから離《はな》れたくなかった。さっき起きたことは、日々《ひび》を平穏《へいおん》に暮《く》らしているわたしにとって、とてもショッキングな出来事だったのだ。

「なに変なこと言ってるのよ、ただの虫じゃない。それにカマキリなんてかわいいものよ」

「えっやっぱりカマキリってかわいいの!?」

「いやまあ、虫の中ではどちらかというと、ってことだけどね」

「虫の中では、かあ……」

虫の中とか言われても困《こま》る。

わたしにとっては、虫なんてみんな一緒《いっしょ》な気がするし、そもそもカマキリをかわいいなんて思ったことがない……。

「それよりもさくら、特別休暇《とくべつきゅうか》はどうするの? お友だちに誘《さそ》われてるんでしょ?」

その言葉でまた元の悩《なや》みごとに引き戻《もど》された。カマキリのことよりも、もっと大きな問題だった。

「わたしだってどうすればいいのかわからないんだよ。ダンスとゲームのグループ、両方に仲良い子がいるから選べないし……」

「そしたらもうさくらが、ダンスとゲームのどっちか、本当に好きなほうに決めちゃえばいいじゃない」

「どっちか本当に好きなほうって言われても……」

そう言われても、答えを出せないのには理由があった。

「さくら、別にどっちでもいいって思ってるんでしょ？」

「……」

図星だった。両方とも好きなことには違《ちが》いないけれど、正直言って迷《まよ》っているのは、どっちもそこまで本気で好きではないからだ。それこそお母さんの言う通り、どっちでもいいと思っている。

「……お母さん、なんでわかったの？」

「だってさくらって昔から色々《いろいろ》習いごとしても、そんなにすごく熱中することもなかったし、どちらかというと、すぐに飽《あ》きちゃうじゃない？　それなりに器用にはこなすけどさ」

「……」

また図星だった。わたしは今までとことんハマったものがなかった。周りのみんなはずっと続けている習いごとや、他の人には負けないような特技《とくぎ》があったり、すごくハマっている推《お》しがいたりする。

それなのにわたしには、みんなみたいに特別なものは何もなかったのだ……。

「ほら、もうご飯できるわよ、サラダ、テーブルの上に持っていって」

わたしが少し落ち込《こ》んだ顔を見せると、お母さんが言った。気持ちを切り替《か》えさせるために、そう言ってくれたのかもしれない。

目の前には、レタスの上に鮮《あざ》やかな緑色のブロッコリーがのせられたサラダが、できあがっていた。

「……これ、中にカマキリ入ってない?」

「入ってるわけないでしょ」

レタスとブロッコリーのサラダを見て、あの緑色をした、カマキリのことを思い出していた。

わたしにとっての特別好きなものってなんだろう。

改めて本気で考えてみた。

でもわざわざ頭を悩《なや》ませて考えてる時点で、本当に好きなものなんてない気がした。

特別になるくらい好きなものって、きっと言葉では説明できないものだ。

理由もないけど、心がどうしようもなく動かされるものが、本当に特別に好きなんだと思う。

それがきっと、わたしの周りの子にとってはダンスで、ゲームで、隣《となり》の席の悠真《ゆうま》にとっては野球で、昨日の帰り道に出会った柊《ひいらぎ》さんにとっては、虫で……。

「あっ、いた……」

昼休みの間、ずっと柊さんのことを捜《さが》していた。昨日急に帰ってしまったことを、謝《あやま》りたかったのだ。

そしてやっぱり、柊さんのことが気になっていた。ほかの友だちとは少し違《ちが》う何かがある気がするから。

柊《ひいらぎ》さんは図書室の窓際《まどぎわ》の席にいて、本を読んでいた。

「……」

すぐに声をかけることはせずに、そっと近くに歩み寄《よ》る。何を読んでいるのかのぞき込《こ》んでみると、昆虫《こんちゅう》の図鑑《ずかん》だった。

やっぱり、柊さんにとって特別なものは、虫なのだ。

「あっ、きれい……」

わたしが思わず声をあげたのは、柊さんが鮮《あざ》やかな青色をした、蝶《ちょう》のいるページを開いたときだった。

柊さんが、わたしに気づいてこっちを見る。

「……」

柊さんは何も言わずに、そのまま隣《となり》の椅子《いす》を後ろに引いてくれた。

どうやら、隣に座《すわ》ってもいい、という合図のようだ。

「ありがとう……」

柊さんは小さく頷《うなず》いて、それから、本を開いたページに載《の》っている、蝶の説明をしてくれた。

「きれいでしょ。これね、アサギマダラっていう名前の蝶なの」

「アサギマダラ？」

初めて聞く名前だった。

「うん、春には南から北へ移動《いどう》して、秋には北から南へ移動するから『旅する蝶』って言われているんだよ」

「そうなんだ……」

旅する蝶がいるなんて初めて知った。花の周りをひらひらと舞《ま》う蝶くらいしか知らなかったから。

「しかもすごいんだよ。日本の本州から台湾《たいわん》や中国大陸まで二千五百キロメートルくらい旅するんだからね。一日に二百キロメートル移動した記録もあるんだよ」

「す、すごい……」

わたしもすごいと思わず言ってしまったのは、アサギマダラのことだけではない。

すらすらと説明する柊《ひいらぎ》さんのことが、すごいと思ったのだ。

「でも、蝶《ちょう》とちがってハチとかはね、そんなに行動範囲《はんい》が広くないんだよ。二、三キロメートルくらいの中で生活してる。だけど、意外と速いスピードで動いていて、ミツバチも時速二十キロメートルくらいで飛んでいるんだよ」

「ミツバチもそんなに速いんだ……」

花の周りをぶんぶん飛んでいるだけのイメージだから、意外だった。本気で追いかけられたら、絶対逃《ぜったいに》げられないことになる。

そして柊さんは、ミツバチについての説明も付け加えてくれた。

「ミツバチの、８の字ダンスって知ってる？」

「８の字ダンス？」

「うん、ミツバチってダンスするんだよ。巣にいる仲間に、花の蜜がある場所の距離《きょり》と方角を教えたりするためにするんだって。すごく利口なんだよ」

「へぇ、そんなの知らなかった。ミツバチがそんな特別なダンスをするなんて……」

「ねっ、すごいよね」

柊《ひいらぎ》さんはそう言って、空中に8の字を指でなぞって描《か》いた。

「……うん、すごいと思う」

わたしも真似《まね》をする。

なんだか指をなぞるだけで、楽しくなってきた。

こんなミツバチの秘密《ひみつ》を知っているのは、きっとクラスの中でもわたしたちだけだ。

それに柊さんから話を聞いていると、いつの間にか、苦手だった虫にも興味《きょうみ》が湧《わ》いてくるから不思議だった。

柊さんのおかげかもしれない。もっと前から話していたら、わたしもカマキリのことだって好きになったのかな。

「ねえ、柊さん……」

――でも、わたしがもう一度話しかけようとしたときだった。

「……うわっ、虫の図鑑《ずかん》なんて見てる」

声が聞こえた。

「変なの」

同じクラスの女の子だ。

「気持ちわるーい」

図書室の中だから声は抑《おさ》えめだけど、それでも聞こえてきてしまう。

この場所は、とても静かだからだ。

日常《にちじょう》にあふれているような、変とかそういう言葉が、今はすごく嫌《いや》な言葉に聞こえる。

「……」

わたしは聞こえないふりをした。

でもわたしに聞こえているということは、柊さんの耳にも届《とど》いてしまっているだろう。

柊さんには、聞こえていないでほしかった。

わたしよりも、柊さんが本気で好きなものなのだ。

虫は、柊《ひいらぎ》さんにとっての特別だ。

ほかの人とはちょっと違《ちが》う、変わった趣味《しゅみ》かもしれないけれど、ばかにしてほしくはなかった――。

「……っ」

柊さんの顔を見るのが怖《こわ》い。

ひどく落ち込《こ》んだ顔をしていたらどうしよう。

もしも、涙《なみだ》を浮《う》かべていたらどうしよう。

――だけど隣《となり》には、わたしの想像《そうぞう》とはまったく違う表情《ひょうじょう》を浮かべた柊さんがいた。

「ひ、柊さん？」

柊さんの顔色は、何も変わっていなかったのだ。

いつも通りの、教室の中で授業《じゅぎょう》を受けているときのような表情。

そして、さっきまでのことなんて、まるで何もなかったかのように話を続ける。

「ねえほら、鮎川《あゆかわ》さん見て。カマキリって胸《むね》の前に手を合わせる姿《すがた》から、拝《おが》み虫とか祈《いの》り虫って呼《よ》ばれたりするんだよ。そう考えるとあのポーズも少しかわいいでしょ？」

「た、たしかに……」

話を合わせはするけど、わたしはどうしても、柊さんが今何を考えているのか気になってしまった。

「あの、柊さん……？」

「どうしたの？」

「……さっきのあれ、聞こえてなかった？」

「聞こえてたよ、変とか気持ちわるいってやつでしょ？」

「う、うん……」

柊さんは、ケロッとした顔のままこう言った。

「あんなの無視《むし》だよ、無視」

「無視……」

「うん、虫だけに」

「虫だけに……」

柊《ひいらぎ》さんが、ケロッとした顔からニコッとした顔に変わった。

でもそれから表情《ひょうじょう》がコロコロと変わって、今度はキョトンとした顔になる。

「あれっ、おもしろくなかった？」

わたしはその言葉を聞いて、思わずふき出して笑ってしまう。

「……ううん、柊さんおもしろすぎ」

わたしからすると、そう答えることのできる柊さんが、とても特別で不思議で、おもしろく思えてしかたなかった。

休

「ねえ、さくらちゃんはゲームのイベントに来るよね？」

「違《ちが》うよね、ゲームよりダンスのほうに来るんだよね？」

「そんなことないよね、さくらちゃん前にゲームのほうに行きたいって言ってたもん。イベントに行くとレアアイテムもらえるんだから」

「それも違うよ、さくらちゃんが行きたいって言ったのはダンス。今度Tiktok《ティックトック》用の動画を一緒《いっしょ》に撮《と》るって決めたんだもん」

前回に引き続き、今日も相変わらず友だち同士《どうし》の間で板ばさみにあっています……。

――けど、わたしはもう困《こま》ってはいません。

「……そのことについてね、わたしも決めたんだ」

わたしの言葉に、二つのグループの女の子たちが、ぐいっと近づいてきた。

「ゲームに決めたの!?」

「ダンスにしたの!?」

その言葉に、首を大きく横に振《ふ》ってから言った。

「わたしね、トクベツキューカを使う日は、柊さんと一緒に、ミツバチの巣を探《さが》しに行くことに決めたの」

「ミツバチ……」

「巣を探《さが》しに行く……」

みんな、あっけに取られたような顔をしている。

「……さくらちゃん何言ってるの？」

「そうだよ、さくらちゃん変だよ。ミツバチの巣を探しに行くなんて……」

わたしは表情《ひょうじょう》を全然変えないまま、さらっと答える。

「変じゃないよ、みんなだって、パンにハチミツかけて食べるのとか好きでしょ？

そのミツバチの巣を探しに行くんだもん」

わたしが言葉を発するたびに、みんなどんどん変な顔になっていく。

「変だよ……」

「さくらちゃんが、おかしくなっちゃった……」

「全然変じゃないって。よかったらみんなも一緒《いっしょ》に来る？　きっと楽しいよ」

「……うーん、わたしはパスかな」

「わたしもやめとく」

「わたしもいいや」

「うん、虫はちょっとね……」

みんなさっきまでとは、別人のような態度《たいど》だった。

そのまま後ずさりするように、わたしから距離《きょり》をとって、その場からいなくなってしまう。

「……ふぅ」

これでいいのだ。

わたしは大満足。

ミツバチの巣を探しに行くのが、今は楽しみだった。

正直言って、まだ虫のことはそんなによくわからないけれど、柊《ひいらぎ》さんと一緒にいたいと思った。

だってそのほうが、今はどうしてもワクワクしてしまう。

だからトクベツキューカも、柊さんと一緒に使うと決めたのだ。

それから教室のすみっこに目を向けると、一人で背筋《せすじ》をピンと正して、虫の図鑑《ずかん》を読み続けている柊《ひいらぎ》さんを見つけた。

柊さんは何も言わないまま、本を閉《と》じてわたしに視線《しせん》を向ける。

そのあとに人差し指を立てた。

――そして、ゆっくりと空中に8の字を描《か》いていく。

「あっ」

わたしも人差し指を立てて、離《はな》れた場所から柊さんに向かって小さく8の字を描く。

これがわたしたちの特別なダンス。

そしてわたしたちだけの特別な合図だ――。

第三話

さよならも言えない夏

「なあ悠真《ゆうま》、明日、トクベツキューカ使おうぜ」

クラスメイトの和人《かずと》から、そう言われたのは突然《とつぜん》のことだった。

「二人で自転車に乗ってさ、国道十四号をずっと走るんだよ。前から言ってた計画だけど明日やろう、いいよな？」

和人は続けて言った。たしかに、もともと二人で話していた計画だった。国道十四号を東京方面に向かって、どこまでも走り続ける。けど当初は、夏休みに予定していたはずだ。

「別にいいけど、それってわざわざトクベツキューカを使わないで、今度の日曜日とかでもよくないか？」

そう尋《たず》ね返したけど、和人は首を縦《たて》には振《ふ》らなかった。

「日曜日じゃだめなんだ。それになんか、普通《ふつう》の休みの日に行っても特別感がないだろ。平日に二人で、自転車こいで行くのが、旅っぽくていいんじゃないか」

旅っぽいってのが、どういうことを指すのかよくわからなかったけれど、和人が平日に行きたいのは間違《まちが》いないみたいだった。

「だったら夏休みはどうだ？　元々《もともと》、夏休みに行こう、って言ってたじゃないか。夏休みに行くのも旅っぽいだろ？」

「……夏休みはだめだ。遅《おそ》すぎる」

「遅いか？　もう一か月後だぞ？」

「……遅すぎるよ、だって今、行きたいんだ。そういうもんだろ？　今、腹《はら》が減《へ》ってるのに、一か月後に焼肉食べられるからね、って言われて、悠真はがまんできるのか？」

「それはできないけど……」

それとこれとでは、話が違《ちが》う気がするが……。

ただ、和人の熱意は本物のようだ。

「行こうぜ、悠真。明日は天気もいいみたいだ。晴れるよ、自転車日和《じてんしゃびより》だ」

「自転車日和かあ……」

そんな日和聞いたことないけど、和人の雰囲気《ふんいき》に圧倒《あっとう》されていた。それにもともと、トクベツキューカをいつ使うかにこだわりもない。

「……オッケー、じゃあ明日行こう」

「さすが悠真《ゆうま》！　最高だよ、持つべきものは友だな！」

和人《かずと》がバシバシと肩《かた》をたたいてくる。本当に嬉《うれ》しがっているのが伝わってきて、おれまでなんだか嬉しくなった。

「じゃあ明日頼《たの》むぞ、親と先生にもトクベツキューカ使うって、ちゃんと言っとけよ」

和人は最後に、そう言って去っていった。

もちろん先生には言うつもりだけど、親には報告《ほうこく》しなくても大丈夫《だいじょうぶ》な気がした。

うちの親は、おれがトクベツキューカをいつ使おうが、まったく気にしていないはずだから。

休

うちの親は、いわゆる放任主義《ほうにんしゅぎ》というやつみたいだった。といっても、親がそう宣《せん》言《げん》したわけではない。ほかと比《くら》べて、なんかうちは違《ちが》うなって、思っただけだ。

周りの友だちの門限《もんげん》は、大体夕方の五時だけど、うちは七時まで大丈夫だ。それに結局、時間を過《す》ぎても怒《おこ》られることはない。

トクベツキューカのことだって、ほかの友だちは、家族旅行に出かけるときに使うことが多かった。この前のゴールデンウィークだって、休みと休みの間の日に、トクベツキューカを使って、十連休くらいにしている友だちも何人かいた。

だけどうちは、そんなことは決してない。そもそも、家族での旅行なんてものが、ほとんどなかった。昔から、おじいちゃんとおばあちゃんの家に行くのが、一番の旅行みたいな感じだ。

ただ、そんなイベントすらも最近は少なくなっていた。原因《げんいん》は、親どうしが喧嘩《けんか》しがちなせいもあると思う。日常《にちじょう》のささいなできごとから、よく言い争いになっていた。

おれはその度に、二人のそばから離《はな》れて部屋にこもった。どっちが正しいか正しくないかとか、そんなことには興味《きょうみ》がなかった。喧嘩しているときの怒った声を聞きたくなかったのだ。

だからこそ、親が仲のいい友だちの話を聞くと、うらやましくなった。そういう家族は休みになると、よく旅行に行っていた。

そう思うと、和人《かずと》にトクベツキューカを使おうと誘《さそ》われたのは、意外だった。去年や一昨年は、和人も家族旅行のときに、使っていたはずだ。普通《ふつう》の土日のあとの月曜日に、トクベツキューカを使って、三連休にして北海道に行った、と聞いたことがあった。

つまり、今までをふりかえっても、何気ない日に旅行に行けてしまうくらいに、和人の家族は普段《ふだん》から仲がよくて、お金にも余裕《よゆう》があったのだ。明らかにうちとは違《ちが》った。

そもそも、見た目から別ものだった。授業参観《じゅぎょうさんかん》に来た、和人の父ちゃんと母ちゃんを見てびっくりした。モデルみたいに、二人ともかっこよくてきれいなのだ。クラスのみんなも、憧《あこが》れのまなざしを向けていた。

当然、おれもうらやましく思った。だけど正直、嫉妬《しっと》まではしなかった。あまりにも違いすぎるのだ。それに和人自体、親のことを鼻にかけるわけでもなく、普通の態《たい》度《ど》だった。

環境《かんきょう》が真逆《まぎゃく》なおれと和人だけど、不思議なことに、いつの間にか、一番の友だちになった。理由はよくわからない。もしかしたらどこかで、意外な共通点でもあるのだろうか。

だけど、とにかく凸《でこ》と凹《ぼこ》がぴったりはまるみたいに気が合って、毎日のように遊ぶ仲になった。

だから正直言って、自転車で出かけるこの計画は、かなり楽しみだ。

おれにとっての、久々《ひさびさ》の旅行であり、友だちと一緒《いっしょ》にどこまでも行ける、自由な旅なのだ。

「――お待たせ」

そう言って和人が、旅を始める出発地点の集合場所に現《あらわ》れた。お互《たが》いの家のこととか、ずっと考えごとをしていたけど、和人が来て、ふっきれた気がする。

でも和人が乗っているのは、ギアが何段《なんだん》も変わるクロスバイクだ。おれが乗っているのはママチャリ。こんなところでも差が出ていて、またすぐにモヤモヤが湧《わ》いてきそうだった。だけどまあ、スピードで争うわけではないから別に問題はないだろう。

「ワクワクして、昨日は寝《ね》られなかったよ」

和人《かずと》が続けて言った。おれも楽しみにしていたから、その言葉を聞いて嬉《うれ》しくなった。

「今日は自転車日和だな」

空を見上げてから、前に和人が言った言葉を借りてそう言った。

「自転車日和？　なにそれ？」

「お前が先に言い出したんだろ！」

和人のボケにおれがツッコミを入れて、そのやりとりが旅の始まりの合図になった。

「行くぞ」

「おう」

二人同時に、ペダルに足をかける。

「出発進行！」

今度は同時に声を上げて、旅が始まった――。

まずは地元の習志野《ならしの》から、幕張本郷駅《まくはりほんごうえき》を越《こ》えて、国道十四号に出る必要があった。だけどその道のりすらも、少し時間がかかった。道がせまくて、線路を越えるための橋があったせいだった。

ただ、一人でこいでいるときよりは、ずいぶん楽だ。友だちが一緒《いっしょ》にいるだけで、ペダルが軽くなる気がする。

坂をくだっていくと、国道十四号に出ることができた。一気に広い道になると、本当に旅の始まりという気がしてくる。

「海の匂《にお》いがするなあ」

和人がペダルをこぎながら、顔を上げて言った。

「もう海が近いもんな」

ここから国道十四号を左に曲がって、まっすぐ自転車を走らせると、多分十五分くらいで海に着くことができる。

でも今日の目的地は海ではない。つかずはなれずの距離《きょり》で走る予定だ。

そんなとき、和人《かずと》が思い出したように言った。

「そういえばさ、昔はこのあたりの国道十四号から先は全部海だったらしいぜ」

「えっ、そうなのか？」

「うん、ここから先は全部埋《う》め立て地なんだよ。おれらが生まれるよりもずっと前のことだけどな」

「埋め立て地かあ……」

言葉自体は、社会の授業《じゅぎょう》で聞いたことがあったし、幕張《まくはり》メッセのあたりがもともと海だったというのは知っていた。

それでもまさか、こんなところから全部埋め立てられていたなんて知らなかった。

「ほら、それに国道十四号に出る道が、大体坂道とか崖《がけ》みたいになってるのも、海沿《うみぞ》いだったことの名残《なごり》みたいなもんなんだって」

「へえ……、ってか、なんでそんなこと和人は知ってるんだよ」

「父さんが教えてくれたんだよ」

「父ちゃんかあ……」

確《たし》かに和人の父ちゃんなら、教えてくれそうな話だ。うちとは違《ちが》う。

おれが教えてもらったのは、サイゼリヤだと若鶏《わかどり》のディアボラ風が一番うまいとか、ロッテの試合のあとは、イオンのグランドモールの駐車場《ちゅうしゃじょう》がすごく混《こ》むとか、そんなことくらいだ。

おれも和人の父ちゃんみたいに、周りに披露《ひろう》するとかっこいいと思われるような知《ち》識《しき》を、教えてもらいたかった……。

「おっ、駅が見えてきた」

そのまま走り続けていると、和人が言った。

「何駅だ？」

「谷津駅《やつえき》！」

今度は、京成線《けいせいせん》の単独《たんどく》の駅だ。さっきの幕張本郷駅《まくはりほんごうえき》は、総武線《そうぶせん》と京成線両方の駅があった。

「京成線ってさ、なんで京成線っていうか知ってるか？」

和人《かずと》がなんだか自慢《じまん》げな顔をして、またおれに尋《たず》ねてきた。

だけど、今度はさっきのようにはいかない。

「東京と成田《なりた》をつないでるから、京成線《けいせいせん》だろ？」

「なんだ、こっちは知ってたか」

おれがもっと小さいころ、母ちゃんと一緒《いっしょ》に幕張本郷駅《まくはりほんごうえき》に電車を見に行ったときに、教えてもらったことだった。幕張本郷駅は電車の車両センターになっているから、いくつもの電車が止まっているのだ。

あの橋の上で電車を見るのが好きだった。あのころは、父ちゃんと母ちゃんも、もっと仲がよかったと思う。

幕張本郷駅から電車に乗って、よくじいちゃんとばあちゃんの家に家族そろって行っていたのだ。

「……まあ、前までは埼京線《さいきょうせん》のこと、一番強い最強線《さいきょうせん》だって思ってたけどな」

おれがふざけた感じで言うと、和人も言葉を返した。

「おれも東名高速《とうめいこうそく》は透明高速《とうめいこうそく》だと思ってたぞ。道路が未来っぽく、スケルトンになってるのかなってさ。……ってか、埼玉とか愛知とか他の県って出席番号、誕生日順《たんじょうびじゅん》じゃないらしいぞ」

「えっ、マジ!?　それなら何で決めてるんだよ！」

「名前のあいうえお順だって。相川《あいかわ》さんとか青木《あおき》さんとかが大体一番になるらしいよ。というか全国的には、誕生日順の千葉県がめずらしいんだって」

「マジかよ……」

まさかの事実だった。おれたちにとっては、誕生日順が普通《ふつう》のことだったけど、ほかの県に行ったらそれが特別なことみたいだ。なんか不思議な感じがする。

「おれらも最初、誕生日順で席が近かったから、仲よくなったのにな」

おれと和人は、二人とも五月生まれだった。それで席が前と後ろで、話すようになったのだ。

「いや、でも名前順でも、おれら近いよな。悠真《ゆうま》の名字が中谷《なかたに》で、おれが中野《なかの》なんだから。きっとまた名前順でもすぐそばだよ」

「あっ、そっか」

確《たし》かにそうだ。

けど、誕生日《たんじょうび》でも名前でも隣《となり》どうしなんて、妙《みょう》に距離《きょり》が近すぎて、なんだか胸《むね》がむずがゆくなってくる。

「……なんだよ、それじゃあいつまでもどこまでも和人《かずと》がくっついてくるのかよ」

「愛してるよ、悠真《ゆうま》ちゃーん」

「アホか！」

いつものようにツッコミを入れながら自転車を走らせていると、また新しい駅が見えてきた。

「船橋競馬場駅《ふなばしけいばじょうえき》だー！」

ららぽーとＩＫＥＡ《イケア》が、すぐそばにある駅だ。さっきよりも、どんどん街並《まちな》みも賑《にぎ》やかになっている気がする。

「あっ、冷《ひ》やし中華始《ちゅうかはじ》めました！　だって」

自転車をこぎ続けながら、和人が、とある店の前に立つのぼりを指さして言った。

「もう夏だからなあ」

おれがなんの気なしに言うと、和人が思いついたように言った。

「……冷やし中華とトクベツキューカってなんか似《に》てない？」

「ヒヤシチュウカ、トクベツキューカ、ヒヤシチューカ、トクベツキューカ……、確かに……」

「だろ？　似てるだろ！　大発見！」

思わぬ大発見に和人のテンションが上がって、おれもつられて上がった。

「冷やし中華、はじめました！」

その後に続く言葉は、お互《たが》いにわかっていたから、二人で声をそろえて言った。

「トクベツキューカ、はじめました！」

休

「おおっ、けっこう都会！」

「ここが船橋駅かあ……」

旅の休憩地点《きゅうけいちてん》に選んだのは、船橋駅《ふなばしえき》だった。人の数が今までで一番多いし、ビルも高い。都会という感じの街並《まちな》みが広がっていた。

「たい焼きうまっ！」

「アイス最中もうまいぞ！」

栄養補給《えいようほきゅう》に選んだのは、甘《あま》いものだった。最初はいつものように、コンビニで安く済《す》ませようかと思ったけど、せっかくだからと、ここでしか買えないものを買った。

これも旅の醍醐味《だいごみ》だと思う。

「……なあ、ちょっとこっちの通り、入ってみようぜ」

和人《かずと》が、せまい通りを指さして言った。小さいお店がたくさん並《なら》んでいて、独特《どくとく》な雰囲気《ふんいき》を醸《かも》し出している場所だ。

……いわゆる大人の世界、という感じだった。

「……おう、いいぜ」

びびっている姿《すがた》なんて見せられない。気前よく返事をした。

「よし、行くぞ」

自転車は少し離《はな》れたところに置いてあるから、歩きのままでの探検《たんけん》だ。寄《よ》り道もまた、旅の途中《とちゅう》のイベントっぽくていい。

「……なんだ、まだお店とか全然開いてないな」

歩き出してすぐに、ほとんどのお店が、まだ閉《し》まっていることに気づく。居酒屋《いざかや》ばかりみたいだ。さっきまでいた大きな通りとは違《ちが》って、まだこの小さな通りだけが眠《ねむ》っているようにも見える。

「あっ……」

でもそのとき、和人が声を上げた。

「な、なんだよ」

おれが少し不安な声で反応《はんのう》すると、和人が目の前の店を指さして言った。

「サイゼリア、ある」

「……サイゼリ『ヤ』な」

慣《な》れ親しんだ店を見つけて、思わず声を上げたようだ。ちなみに、『サイゼリヤ』が正式名称《せいしきめいしょう》というのは、父ちゃんから聞いた数少ない情報《じょうほう》のうちの一つだった。

「サイゼがあると安心するなあ……」

「サイゼは千葉の市川発祥《はっしょう》らしいからな……」

「えっ、そうなの？」

「ああ、本八幡《もとやわた》に本店があるんだって、今は記念館みたいになってるけど」

これもまた父ちゃんからの情報《じょうほう》だ。父ちゃんが小さいころに、本店に行って食べたことがあるというのを、前に自慢《じまん》していたのだ。

「そうなのか、悠真《ゆうま》もけっこう、いろんなこと知ってるんだなあ」

「ま、まあな」

役に立つとは思っていなかった知識《ちしき》が、思いがけず役に立って話が広がったことで、さっきまでの不安な気持ちが和《やわ》らいでいた。

「へへっ、大したことなかったな」

「よ、余裕《よゆう》だな、余裕！」

そして元の通りに戻《もど》って来てから、いつものように話しはじめる。やっぱりお互《たが》い慣《な》れない場所に、緊張《きんちょう》はしていたのだろう。

「さあ、旅の続きだ！」

「おう、ここまで自転車で来たおれたちに、怖《こわ》いものなんてない！」

「この調子で突《つ》き進むぞー！」

「おうー！」

緊張から解《と》き放たれたのも、あったかもしれない。気が大きくなっていた。

――でもそんなとき、あることが起きてしまった。

「いって！」

「あっ、ごめんなさ……」

おれの手が、そばを歩いていた男の人にぶつかってしまった。

おれたちより少し年上。中学生くらいの三人組だ。ほんの少しかすったくらいだと思ったけど、相手は手を振《ふ》って痛《いた》がっている。

「おいおい、どうしてくれんだよ、こういうときは、すぐに謝《あやま》らなきゃいけないんじゃないの？」

「いや、今、……はい。ごめんなさいって言って、それで……」

「聞こえてなきゃ意味ないだろ。もう一回ちゃんと言えよ」

「ご、ごめんなさい……」

怖《こわ》かったから、すぐに謝《あやま》った。

でも、許《ゆる》してもらうことはできなかった。

「うん、じゃあこれからどうしようか」

これから？　まだこれから何かあるのだろうか。相手はニヤニヤとした顔で、おれたちを見ている。

「あの、本当にすみません……。不注意でした。それと、僕《ぼく》たちもう先を急いでいるので……」

和人《かずと》が助けに入ってくれた。でも相手は、その態度《たいど》が気に食わなかったみたいだ。

「急いでいるのは、おれたちも一緒《いっしょ》だよ。YouTube《ユーチューブ》だって毎回倍速視聴《ばいそくしちょう》だしさ、それくらい毎日急いでるんだよ」

「……は、はあ」

その言葉に、隣《となり》の二人は笑っていた。

おれと和人は、仲間はずれにされたように全然笑えない。

どうすればいいんだろう、この状況《じょうきょう》……。

「……」

和人は黙《だま》っている。

「……」

おれも何も言えない。

相手はまだ笑っている。

三人で何やら話を始めて楽しそうだ。

これからおれたちを、どうするのか話し合っているのかもしれない。

どうしよう。どうする……。

こんな状況、初めてだった。

このままだと、ひどい目にあうかもしれない。

「……悠真《ゆうま》」

そのとき、小さな声で和人が、おれの名前を呼《よ》んだ。

それからつぶやくように言った――。

「走るぞ」

「えっ」

――次の瞬間《しゅんかん》、和人《かずと》が走り出す。

おれも、すぐ後ろについて走った――。

「おい、待てよ！」

不意をつかれて驚《おどろ》いた中学生たちも、すぐに後を追ってくる。

「悠真《ゆうま》、早く！」

「わかってる！」

――がむしゃらに走った。

走れば、自転車のところまでは、すぐなのだ。

「はぁ、はぁ……」

息があっという間に切れる。

なんだか、自分の体じゃないみたいだ。手の先と足の先が、固くなっているのがわかる。

でもここでまた捕《つか》まったら、何をされるかわからない……。

だから必死で走った。

そして運よく、スクランブル交差点の信号に助けられる形になった。

「はぁ、はぁ、ふぅ……」

大きな通りをはさんだ向こう側に、中学生たちがいる。

若干《じゃっかん》くやしそうな顔をしていたけど、それからすぐに興味《きょうみ》を失ったように、元いた場所へと去っていった。

最初から、おれたちには、そこまで興味がなかったみたいだ。

きっと暇《ひま》つぶし程度《ていど》だったのだろう。こっちからしたら、あまりにも迷惑《めいわく》なものではあったけれど……。

「……いやー、ヤバかったな！」

再《ふたた》び自転車をこぎだしてから、少し経《た》ったところで和人が言った。

ピンチを乗り越《こ》えて、変なテンションになっている感じだ。

「マジでヤバかった！　ギリセーフ！」

おれも、同じようなテンションになっている。というか気を抜《ぬ》くと、さっきのことを思い出して、怖《こわ》くなってしまう気がしたのだ。

「悠真《ゆうま》、泣きそうな顔になってたもんなあ」

「なってねえわ！」

本当は、なっていたけど、今は強がる。

和人《かずと》が走り出すのを提案《ていあん》して、逃《に》げ切れていなかったら、どうなっていたかわからなかった。

「いやいや、もう泣く寸前《すんぜん》だっただろ？」

「そんなことないから！　そもそもおれ、学校でも一度も泣いたことないし！」

実際《じっさい》に、学校で泣いたことはなかった。泣くのはかっこわるいし、前に親からも泣くなと、怒《おこ》られたことがあったからだ。

だからおれは、泣きたくなかった。涙《なみだ》を誰《だれ》かに見せたくなかったのだ。

「まっ、おれも泣いたことないけどな」

和人が言った。

確《たし》かにおれは、和人の泣いた姿《すがた》を見たことがない。クラスの中ではいつも、大人びたような余裕《よゆう》を見せていることが多かったのだ。

「いやー、さっきのも余裕だったわあ」

でもその言葉には、さすがにツッコミを入れた。

「いやさっき、ヤバかったたって言ってただろ！」

「テンション的にな」

「なんだそれ！」

「ビビリの悠真～」

「ビビリじゃねーし！」

多分二人とも、ビビってヤバかったけど、今だけは強がった。

お互《たが》いに相手には、弱いところを見せたくなかったのだ。

ましてや泣いてる姿なんて、絶対《ぜったい》に見せたくない。

友だちだけどライバルのような、そんな関係だったのだ。

――それから、東京方面に向かって進み続けた。

自転車をこいで、こぎ続けた。

西船橋駅《にしふなばしえき》。

下総中山駅《しもうさなかやまえき》。

本《もと》八《や》幡《わた》駅《えき》。

そして、市川駅《いちかわえき》も越《こ》えることになった――。

さすがにこのあたりまで来ると、日も暮《く》れかかっていた。オレンジ色が、空の中に目立つようになる。

夏になって日が長くなっているから、気付くのが遅《おく》れてしまうけれど、いつもなら、もう帰らなければいけない時間だ。

それでも和人《かずと》は、引き返す様子なんて一切《いっさい》見せなかった。

まだなんの迷《まよ》いもなく、自転車をこぎ続けている。

トクベツキューカを使っているからって、何時に帰っても親に怒《おこ》られないなんてことはないはずなのに。

「あっ」

先を走っていた和人《かずと》が、あるものを見つけて声を上げた。

何に気づいたのか、おれにもすぐにわかった。

「江戸川《えどがわ》だ」

二人で同じようなタイミングで、つぶやいた。

一つの大きな目的地でもあった場所だ。

なぜなら、この江戸川を越《こ》えると、その先は東京なのだ。

いわゆる県境《けんざかい》。

ここから先はもう、千葉ではない場所になる。

こんなところまで、自転車で来たことなんて、一度もなかった。

ましてや、東京まで自転車に乗っていくなんて、考えたこともなかった。

でも来てしまった。

普段《ふだん》見ないような、大きくて長い橋が目の前にある。それに河川敷《かせんしき》も広い。そばにいると、吸《す》い込《こ》まれそうなくらいに、全部が巨大《きょだい》なものに見えた。

「……」

……この橋を、本当に渡《わた》っていいのだろうか。

なんだか江戸川を越えて、東京まで入ると、もう帰れなくなってしまう気がする……。

「……和人！」

思いきって、後ろから声をかける。

すると、和人のペダルをこぐ足が止まった。

「どうした悠真《ゆうま》？　これでやっと東京に入れるんだぞ」

ただ、和人は東京にさしかかるくらい遠くまで来てしまったことも、すでに日が暮《く》れかかっていることも、何も気にしていないようだった。

……和人は怖《こわ》くないのだろうか？

おれはもう、心ぼそくて帰りたい気持ちがわいているのに……。

「……いや、だってさ、そろそろ戻《もど》らないとまずくないか？　帰るのも行きと同じくらいの時間がかかるんだぞ？　……このままだと家に着くの夜になっちゃうぜ」

和人《かずと》は、そんな心配ごとは全部わかっていると言いたげな顔だった。

そして、小さくうなずいておれに向かって言った。

「……ああ、でもせっかくここまで来たんだ。だからこの橋を渡《わた》って、東京まで行きたい」

その言葉には、強い意志《いし》が込《こ》められているようだった。

そんな顔をした和人を、おれは初めて見た。

「……じゃあ、また今度にしようぜ。もっと朝早くから出てさ、それならきっとおれたちだったら、東京スカイツリーまでだって、行って帰ってこられるよ」

「……今度じゃダメなんだ」

和人は、つぶやくように言った。

「なんで、今度じゃダメなんだよ……」

和人は、すぐに答えてはくれなかった。

理由がわからない。

だって次の土曜日や、日曜日でもよかった。

それに、もうすぐ夏休みになる。

夏休みが明けたあとだって、連休はあるし、冬休みがある。

小学校を卒業して中学生になったら、もっと行動範囲《こうどうはんい》だって広がっているはずだ。

東京を越《こ》えたって構《かま》わない。門限《もんげん》だってもっと延《の》びているはずだ。

でもそこまで待つことができないのには、やっぱり理由があるのだろうか……。

「……和人、なんでこんな急に、トクベツキューカを使って自転車旅に出たいなんて、言い出したんだ？」

おれは、聞かなければいけなかった――。

「普通《ふつう》に今度の土日とか、夏休みでもよかったはずなのに……」

「……」

「なんで……」

本当はその理由を、もっと前から聞きたかったんだけど、怖《こわ》くて聞けなかった。まだ子どものおれたちには、何かどうしようもできないような事情《じじょう》が、かくされている気がしたから――。

「……」

そして、ずっと黙《だま》っていた和人《かずと》が、ようやく口を開いた。

「……おれ、もっと遠くに行くんだ」

言葉の意味がよくわからなかった。

遠く?

それって、つまり――。

「転校するんだ」

和人が言い直した。

「転校……」

「なんかさ、うちの父さんと母さん、少し前からずっと仲が悪くてさ、毎日けんかばっかりなんだよ。いや、もう最近はけんかすらしてないんだけどさ」

和人が、感情《かんじょう》を失ったみたいに、淡々《たんたん》と言葉を続ける。

「それで、もう別々《べつべつ》に暮《く》らすから、おれは今学期が終わったら母さんと一緒《いっしょ》に、遠くに引っ越《こ》すことになったんだ」

「……」

「だからもう、トクベツキューカを使わなければ、悠真《ゆうま》とこうやって自転車旅に出る時間もなかったんだよ。これから夏休みまでずっと引っ越しの準備《じゅんび》で忙《いそが》しいし、それにもう、朝早くから自転車をこいでも行けないような、遠いところに転校することになるから」

「そんな……」

――そんなの、全然知らなかった。

だって、和人の父ちゃんと母ちゃんは仲がよかったはずだ。

周りがうらやむような幸せな家庭だったはずだ。

そもそも親の仲が悪いのなんて、自分の家だけだと思っていた。

それで、もっと普通《ふつう》の家族や、それこそ和人のような、裕福《ゆうふく》な家庭をうらやましく思っていたのだ。

和人《かずと》の家は自分よりも恵《めぐ》まれている。

ずっと、そう思っていた。

――でも、違《ちが》った。

「あっ……」

そしてこんなところで、思わぬ共通点の正体に気づいてしまった。おれたちはお互《たが》いに、家族の問題を抱《かか》えていたのだ。

だから仲良くなったと言いたいわけではない。でも、心の底のどこかで、その事実がつながっていたのかもしれなかった。

ただ、おれは今までずっと気づけなかった。

おれがいつも見ていたものは、和人のほんの少しの部分だけだった。

表面だけを見て、中身まで知った気になっていた。

本当は、全然違ったのに――。

「和人……」

和人は、今まで誰《だれ》にも話さないで、一人でその事情《じじょう》を抱え込《こ》んでいたのだ。

転校することも、両親が離婚《りこん》してしまうことも、おれは何も知らなかった。おれが普段《ふだん》感じていることよりも、もっとつらいことのはずなのに……。

「なんで……」

普通《ふつう》の家族ってなんだろう。

よくわからなくなってくる。

自分の頭の中で、勝手に思い込んでいただけなのかもしれない。

そもそも、そんな普通の家族なんて、ないのかもしれない――。

「……よし、なんか話してすっきりしたわ。帰ろうぜ、家に」

和人が、自転車を反対向きに直してから言った。

わざと明るい声を出しているようだった。

おれはうまく反応《はんのう》できない。

だって何か言葉を一つでも言えば、一緒《いっしょ》に涙《なみだ》が出てきそうだったから――。

「……悠真《ゆうま》？」

「あぁ……」

かろうじて返事をして、おれも自転車の向きを直す。

そしてまた、おれが和人《かずと》の後ろについて自転車を走らせた。

大きな橋と、江戸川《えどがわ》と、地平線に沈《しず》みかかった夕日が、さっきまでとは反対に、背《せ》中側《なかがわ》に来るようになる。


──なんか。


「……っ」

泣きそうだ──。


自分が情《なさ》けなかった。

和人の事情《じじょう》に何も気づいてやれなかった自分にも、和人のことを勝手にうらやんでいた自分にも、腹《はら》が立っていた。

なんでこんなになるまで、気づけなかったんだろう。

なんで今になっても、和人に言葉をかけてあげられないんだろう。

おれは、なんてダメなやつなんだ——。

「うぅっ……」

こらえきれなくて、結局、涙《なみだ》が出てきてしまう。

「……っ」

声を殺《ころ》して泣いた。

この声が、和人には聞こえてはいけない。

だって、おれが泣いていちゃいけない。

一番泣きたいのは、家族とも友だちともお別れをする和人の方だ——。

「……」

和人の後ろを、走っていて助かった。

前を走っていたら、涙を隠《かく》し通すことはできなかったはずだ。

「……まあいつかさ、また会えるだろうし、そんな悲しくはないよな」

和人が、おれに背中を向けて自転車を走らせながら言った。

「……もっと大人になってさ、そしたら自転車で行けないようなところにも、車とか電車とか、飛行機とか使って、会いに行けるわけだからさ」

和人《かずと》が、精《せい》いっぱいの強がりを言っているのがわかった。

だからおれも、和人の強がりに付き合って、このお別れを大人になって再会《さいかい》したときに、笑って話せるようなものにしたかった。

そして今、和人を笑顔にさせたかった——。

「和人……」

こみあげてくる涙《なみだ》をぬぐって名前を呼《よ》ぶ。

それから言葉を振《ふ》りしぼった。

「——おれたちはどこにいたって一緒《いっしょ》だよ。誕生日《たんじょうび》で並《なら》べたって、名前で並べたって、いつもそばにいるんだからな」

精いっぱいの強がりで、いつも和人が見せているような余裕《よゆう》を出して言った。

すると和人が、こいでいたペダルを止めて、おれに向かって振り返った。

「ありがとな、悠真《ゆうま》」

「和人……」

そして和人は、おれの顔を見て笑った。

「――泣くなよ、泣き虫悠真」

そう言った和人も、泣いていた――。

第四話

とっておきの秋

――九月。

習千葉小学校《ならちばしょうがっこう》に転校してきた。

お父さんの仕事の都合だ。こんな時期に転校するなんて思ってもみなかったけど、新しい学校生活を始めて、もっと驚《おどろ》くべきことがあった。

どうやらこの学校には、生徒一人一人に特別休暇《とくべつきゅうか》が存在《そんざい》するらしい。

一年の中で一日だけ、先生にも親にも理由を言わずに学校を休める、というもので、トクベツキューカとも言われているみたいだ。

初めてその特別な休みの存在を知ったとき、ぼくは驚きとともに、どこかほっとした。

なぜならぼくは、小さいころから、学校を休みがちだったからだ。

体がそんなに強くなくて、ちょっとしたことで風邪《かぜ》をひいて、体調を崩《くず》してしまうことが多かった。皆勤賞《かいきんしょう》とは無縁《むえん》の生活だった。

正直言って、学校を何度も休んでいるときは、ばつが悪い気分になる。だって、みんなちゃんと学校に行っているのに、ぼくだけが行っていないのだ。

でもトクベツキューカを使えば、落ち込《こ》む気分になることもなく、胸《むね》を張《は》って学校を休むことができる。だって、校則《こうそく》のひとつなのだ。

そんな特別な一日があるのは、本当にいいことだと思う。トクベツキューカを作ってくれた人が誰《だれ》だかわからないけれど、感謝《かんしゃ》の気持ちでいっぱいだ。

ただ問題があるとすれば、特別な一日は、一年の中でもたった一日しかないということだ。本当は二日とか三日とか、それこそ一週間くらいあったら最高だったのに。

だけど一日だけでも、そんな特別な休みの日が存在するのはありがたい。

だからこそぼくは、トクベツキューカを使う日を慎重《しんちょう》に選ぶことに決めた。できる限《かぎ》り、とっておこうと思う。

ぼくは、ご飯を食べるときも、自分が一番好きなものは、最後に取っておくタイプなのだ。

最初に食べてしまうなんてもったいない。楽しみがあとに待っていると考えるだけで、気分よくいられる。自分にとって、いい気持ちでいることは大切だ。体調にだって、大きくかかわってくる。

――だからトクベツキューカも、できる限《かぎ》り取っておいて大事な日に使おう。

習《なら》千《ち》葉《ば》小学校《しょうがっこう》にやってきた夏休み明けの九月、ぼくは固く心に誓《ちか》ったのだった。

休

「浩《ひろ》ー、起きる時間よー」

――十月。

なんだか今日は、起きるのがちょっとつらい。転校してから一か月、気を張《は》って一度も休まずに学校に行っていたせいもあるかもしれなかった。

でも風邪《かぜ》をひいたとか、具合が悪いわけではなかった。なんとなく、いつもより少し気分が悪い、そんな感じだ。

前の学校にいたころは、こんなときどうしていただろうか。

もしかしたら休んでいたんだっけ……。

じゃあどうする？　今日は……。

「浩、どうしたの？　ちゃんと学校行けるの？」

お母さんが、少しだけ心配そうに、もう一度声をかけてくる。

「うーん……」

一瞬《いっしゅん》考えてから、すぐに起き上がった。

「……行ける！」

トクベツキューカを使おうかと思ったけど、やっぱりやめた。

こんなときに大切な一日を使うのは、もったいない。だって、一度使ったら終わりなのだ。これからどんな日が来るかわからないのなら、その日に備《そな》えたい。

もちろん本当に風邪をひいたりとか、体調を崩《くず》したりしたら、トクベツキューカとは関係なく休むことができるけど、今はまだ転校してきて間もないのもあるし、なるべく学校を休みたくなかった。

「そしたら早く支度《したく》してね、ご飯も食べて、忘《わす》れ物とかもないように」

「あっ……」

そう言われて、あることを思い出した。忘れ物というか、忘れていることがあった。

今日は漢字の小テストの日だ。それなのに宿題をまだやっていない。

このままだと、テストの結果もまずいことになる。

どうしよう。やっぱりトクベツキューカを使って、学校を休もうかな……。

そしたら漢字の小テストも、ひとまず今日は受けなくて済《す》むし……。

「浩《ひろ》、またどうしたの？」

「いや、えっと……」

お母さんが、またぼくの一瞬《いっしゅん》の迷《まよ》いに気づいたみたいだ。どうしよう。トクベツキューカを使って学校を休むのなら、登校時間の前に決めなければいけない。

だけど、トクベツキューカを使っちゃったら、もう好きなときに休めなくなってしまうから……。

「急いでご飯食べて、急いで学校行く！」

早めに学校に行って、宿題をすることに決めた。

それならテストにも、じゅうぶん間に合う。

そして、トクベツキューカを使わずに済むのだ。

やっぱりまだ、トクベツキューカを使いたくない、という一心で、急いで準備《じゅんび》をした。

「ふぅ……」

――なんとか間に合った。

朝のホームルームが始まる前に、宿題を終えることができた。

そして、急いで目の前のことを一生懸命《いっしょうけんめい》やっているうちに、いつのまにか気分もいつも通りに戻《もど》っていた。トクベツキューカも使わずに済んだし、すべては順調だ。

「鳥海《とりうみ》ってさ、秋田の学校から転校してきたんだよな？」

満足感に浸《ひた》っていたところで、隣《となり》の中谷《なかたに》くんから声をかけられた。

「えっ、うん、そうだけど……」

席替《せきが》えをしたばかりで、まだあんまり話したことはない。

そもそも中谷くんは、ぼくと違《ちが》って、いかにも活発な子という感じで、ドッジボールも大好きなタイプだったから。

「秋田って遠いよなあ、ここからどれくらいかかるんだ?」

「えっ、どうだろう。秋田から東京までも新幹線《しんかんせん》で四時間くらいかかったし……」

「新幹線で四時間……」

「うん、それで東京から千葉まで一時間くらい電車に乗ったから、合わせて五時間くらいかな……」

「合計五時間かあ……」

ぼくの答えに、中谷《なかたに》くんは、うーんと頭をひねってから、驚《おどろ》きの質問《しつもん》をしてきた。

「じゃあ千葉から秋田って、電車じゃなくて、自転車だとどれぐらいかかる?」

「じ、自転車!?」

何を言っているんだろう……。

自転車で秋田まで行くなんて、考えたこともなかった。

「そんなのわからないよ……。二、三日かかるんじゃないかな、ぼくなら一週間ぐらいかかっても無理だと思うけど……」

「そっか、遠いんだな秋田って」

「うん……」

なんだかそこで中谷くんが、少しだけ寂《さび》しそうな顔をしたので、今度はぼくの方から質問をした。

「……中谷くんは、秋田に行く予定があるの？」

「いや、全然ない」

「そっか……」

そこで話は終わったと思ったけど、中谷くんがつぶやくように言葉を続けた。

「でもさ、秋田と同じくらい遠いところに転校した友だちがいるんだ」

「転校した友だち……」

ぼくと入れ替《か》わるように転校した生徒がいるというのは、担任《たんにん》の西方先生《にしかたせんせい》からも聞いていた。

きっとその子のことを言っているんだと思う。

「……そしたら、その友だちに会いに行くのに、トクベツキューカを使ってみるのはどう？」

ぼくがそう提案《ていあん》すると、中谷《なかたに》くんが小さく笑って言った。

「もう使っちゃったんだ」

そしてまた、ほんの少しだけ寂《さび》しそうに言葉を続けた。

「……東京にもたどり着けなかったけどな」

休

「鳥海《とりうみ》くんは、トクベツキューカをどんなことに使うつもりなの？」

——十一月。

今日は西方先生《にしかたせんせい》との、ちょっとした面談の日だ。最近転校してきたぼくのためだけに、おこなってくれたのだ。

「今のところは、ちょっと決まっていなくて……」

「そうだよね、前の学校には、こんな校則《こうそく》なかっただろうし」

「はい、とりあえずはまだ、とっておこうと思っていて……」

「うんうん、それでいいと思うよ。ほかの子は、結構《けっこう》使っちゃってる子も多いみたいだけどね。友だちと遊びに行く日に使ったり、家族旅行に行ったり、なんとなく休みたいからって使ったり」

「そうなんですね……」

ぼくは、最初から家族の行事や、友だちとの遊びに使うつもりはなかった。

あくまで前の学校のときみたいに、体調的にも気分的にも学校に行きたくないな、と思ったり、何か嫌《いや》なことがあったりする日が来るまで、とっておこうと決めていたのだ。

でも今はもう、冬も近づいている。残り四、五か月で学校自体終わりを迎《むか》えてしまうことになるのだ。

「そしたら今は、学校での悩《なや》みごととか何かあるかな？」

西方先生が、話を変える感じで言った。ぼくが前の学校で休みがちだったのは、お母さんから伝わっているのだろう。

ただ、そう言われても、すぐにぴんとこなかった。

「悩《なや》みごと……」

今のところ、体調的な心配は特にない。

自分としても、びっくりするくらい元気に過《す》ごせていた。

「うーん……」

それに、クラスメイトとの問題も特になかった。とてもうまくいっているし、既《すで》に仲のいい友だちが何人かいた。

中谷《なかたに》くんとも、前よりもたくさん話すようになって、最近は、中谷くんもよく笑うようになった。

「なんだろう……」

ほかに悩みごとってあるだろうか。

最近は宿題も欠かさずやっている。勉強だって学校を休んでいないから、授業《じゅぎょう》にもちゃんとついていけている。成績《せいせき》は前よりも大分上がっていた。

「悩みごと……？」

「いや、無理に悩みごとを探《さが》さなくてもいいけどね！」

ずっと頭をひねり続けていたぼくに向かって、西方先生《にしかたせんせい》が言葉を続けた。

「悩《なや》みがないならないで、すごくいいことだと思うよ。先生安心しちゃったなあ」

西方先生が嬉《うれ》しそうに微笑《ほほえ》んだので、ぼくもなんだか嬉しくなった。

気にかけてくれている人がいるというだけで、安心できたのだ。

「でもきっと、生活はすごく変わったよね。秋田と違《ちが》って、だいぶ違うことも多いだろうし」

「そうですね、秋田ではけっこう田舎《いなか》のほうに住んでいたので、近くにクマが出たりもしたし……」

「クマ!?　それはすごいね、千葉でクマなんて見かけたことないよ。わたしが見たことあるのはクマンバチくらい」

「クマンバチ……？」

ぼくがきょとんとした顔をしていると、西方先生が不思議そうな顔をして言った。

「鳥海君《とりうみくん》、クマンバチ知らない？　ハチの中ではすごく大きくて、クマみたいなでっかいハチのこと」

そこまで聞いて、気づいたことがあった。

「……もしかしてクマバチのことですか？」

「あっ」

今度は西方先生のほうが、何かに気づいたような顔をした。

「そういえばクマンバチって呼《よ》びかたは地域《ちいき》の方言って言ってたなあ。正式名称《せいしきめいしょう》はクマバチだけど、関東はクマンバチって呼ぶことが多くて、他にも九州だとオオスズメバチのことを、クマンバチって呼んだりもすることもあるとも言っていたし……」

「はあ……」

言っていた、というのが誰《だれ》のことを指しているのかわからないけれど、ぼくも初耳のことだった。

「まあ東北や秋田の中でも、クマバチとかクマンバチとか、色々《いろいろ》言い方は分かれてるのかもね。わたしとしては、クマンバチって言うほうが、なんかかわいらしくていいけどなあ」

「かわいらしい……？」

クマバチをクマンバチと呼《よ》んだところで、かわいくなるなんて思えないが、西方先《にしかたせん》生《せい》は本気で思っているようだった。

そもそも、あのでかい見た目を知っていたら、かわいいなんて思う要素《ようそ》は、一切ないと思うけど……。

「ねえ、そういえば鳥海君《とりうみくん》は、昔はクマンバチって、本当は飛べない虫と言われていたのを知ってる？」

「えっ？」

それがどういうことを意味しているのか、ぼくにはすぐにわからなかった。

「昔はあんなでっかい体に小さな羽でクマンバチが空を自由に飛んでるのって、科学的には考えられないことって言われていたんだって」

「そうだったんですか……」

知らなかった。でも言われてみるとわかる気もする。クマバチは、飛ぶには、あまりにもアンバランスな見た目をしているのだ。

西方先生は、指を一本立てて言葉を続ける。

「それでね、当時、クマンバチが飛べる理由として考えられた、あるお話がおもしろいのよ」

「あるお話……？」

ぼくが尋《たず》ねると、西方先生は、待っていましたというふうに、小さく笑ってから答えてくれた。

「飛べないことを知らないから、クマンバチは飛ぶことができる、って言われていたことがあったんだって」

「飛べないことを知らないから……」

「自分が同じハチの仲間で、自分だって飛べると思い込《こ》んでるから飛べるって、昔はそう言われていたんだって。おもしろいよね」

「飛べると思い込んでるから、飛べる……」

確《たし》かにおもしろかった。

いや、それ以上に驚《おどろ》きだった。

飛べないことを知らなくて、自分で思い込んでるから飛べるなんて――。

「まあ今は、本当の理由は科学的に解《と》き明かされて、思い込《こ》みなんて関係ないってことがわかったんだけど、実際《じっさい》、そういう気持ちの部分って、とても大事なんだと思うな。自分のことをちゃんと信じていたら、できることってたくさんあるはずだから」

「信じていたら、できること……」

そう言われて、気づいたことがあった。

ぼくは前の学校にいたときは、自分自身、体が弱くて学校を休むのが当たりまえだと思っていた。

だから、本当はもう少しがんばれば学校に行けるようなときも、なんか今日は無理だなって、勝手に決めつけちゃって、かんたんに休んでいた。

でも今のぼくは、自分が元気だと思っている。

そして実際に、元気に毎日学校に来ている。

これも、トクベツキューカのおかげかもしれない。

いざというときに、とっておきのやつがある、と思うと、安心することができたのだ。

それから西方先生《にしかたせんせい》は、ある情報《じょうほう》を付け足《た》してくれた。

「クマンバチもこんな話を聞くとさ、かわいいじゃなくてかっこよく思えちゃうよね。そういえばクマンバチって、見た目とは違《ちが》って温厚《おんこう》な性格《せいかく》のミツバチの仲間らしいよ。オスにいたっては、針《はり》すら持っていないんだって」

「……西方先生、ハチに詳《くわ》しいんですね」

「ううん、実はこれ全部、クラスの子に教えてもらったことなの。ほかにもミツバチの８の字ダンスのこととか教えてくれてね、トクベツキューカも、ミツバチの巣を探《さが》しに行くのに使っていたくらいだから」

「そうだったんですか……」

そういえば、クラスの中で、虫の図鑑《ずかん》を広げて読んでいた女の子がいた。一緒《いっしょ》にいた女の子と、８の字を指で描《か》いていたこともあった。きっとそれが、ミツバチの８の字ダンスのことだったのかもしれない。

「うん。まだたくさん時間はあるし、クラスのいろんな子と話してみてね。それぞれいいところがある子が、いっぱいいるから。……それじゃあ今日の面談はこれでおしまい。トクベツキューカも、いつでも使っていいからね。もちろん、最後までとっておいてもいいし」

西方先生《にしかたせんせい》には、ぼくの考えは見破《みやぶ》られているようだった。

「それじゃあ気をつけて帰ってね、さよなら鳥海《とりうみ》くん」

「はい、さよなら」

「また明日、学校でね」

教室を出て、廊下《ろうか》を歩き始める。

それから一度立ち止まって窓《まど》の外の空を見上げると、クマバチはいなかったけど、悠々《ゆうゆう》と飛ぶ一羽の鳥がいた。

「……」

その姿《すがた》を見つめてから、周りに誰《だれ》もいないことを確認《かくにん》して、こっそり両手を広げてみる。

「ぼくは飛べる、ぼくは飛べる……」

一瞬《いっしゅん》、本気で心の中で思ってみたけど、全然体が浮《う》き上がる気配はなかった。

「まあ無理だよね」

でも今は、なんだかとっても気持ちがいい。

それだけで充分《じゅうぶん》だった。

休

「浩《ひろ》ー、起きる時間だぞー」

——十二月。

今日もまた、気分よく起きることができていた。

季節は冬の始まりという感じで、少し寒くなってきたけど、そんな気にはならない。

どちらかというと空気がどんどん透《す》きとおって、きれいになっているみたいで、気持ちがよかった。

「なんだ、もう起きてたのか」

「学校に行く準備《じゅんび》はバッチリだよ」

今日、起こしに来てくれたのはお父さんだった。でもすでにぼくが起きていたのが意外なようだった。

「浩《ひろ》、なんだか最近、寝起《ねお》きもいいよなあ。風邪《かぜ》もひかなくなって学校も休まなくなったし」

「確《たし》かにそうかも」

「浩は秋田よりも、千葉の空気の方が合ってたのかなあ」

「うーん、どうだろう」

「それとも千葉の水がよかったのかなあ」

「うーん、どっちでもないと思うけどなあ。どちらかというと、空気も水も、秋田のほうがいいだろうし」

「まあ自然がある分、たしかにそうだよなあ」

そこで、お父さんが改まるような顔をしてから言った。

「でも外は寒くなってきたから気をつけるんだぞ、無理はしなくていいんだからな」

「無理してないよ、そもそも、秋田の寒さに比《くら》べたら、元からこんなのへっちゃらだし」

「たしかに、あの心をへし折るような冷たい風はここにはないもんな。そう考えると浩には、千葉の風が良かったのかもなあ」

「風かあ……」

でも空気と水よりは、風のほうがなんかいいなって思った。

風に乗って飛んでいけるような、そんなイメージがわいたから。

「そういえば、千葉は雪が降《ふ》るのかな？」

「どうだろう、降らないんじゃないのかな」

まだ冬の天気のことまでは、よくわからない。

でも冬になっても雪が降らないなんて、なんだか不思議な気分だ。

そして今度はぼくのほうから、ある質問《しつもん》をした。

「あっ、そういえばお父さん、クマンバチって知ってる？」

「クマンバチ？　クマバチのことか？」

「やっぱりそうだよね。ぼくもそう思ったんだ。でも、千葉ではクマバチのことをクマンバチって言うんだって」

「へぇー、そうなんだ。けど、『ン』がついてるほうがなんか怖《こわ》いなあ。クマバチはかわいい感じがするけど、クマンバチってすごく強そうだし……」

「……お父さんはそう思うんだ」

「えっ、なんのこと？」

「ううん、なんでもない。でもね、クマンバチって怖いハチじゃないんだよ。温厚《おんこう》な性格《せいかく》でミツバチの仲間だし、オスは針《はり》すらも持ってないんだって」

「……浩《ひろ》、なんでそんな急にハチに詳《くわ》しくなったんだ？」

お父さんが不思議そうな顔をしているのが、なんだかとてもおもしろかった。


そのあと、お母さんが作ってくれた朝ごはんをたっぷり食べて、家を出た。

学校までの道を歩いていると、確《たし》かに季節が変わっているのを実感する。吹《ふ》いてくる風が、ほんの少しだけ冷たい。でもこんなのへっちゃらだ。

秋田は夏だって、やませ、という冷たい風が吹くくらいなのだから。

「うー寒いよー」

「凛《りん》ちゃんがんばって、もうすぐ学校着くから」

そんなとき、聞こえてきたのは、少し前を歩いていたクラスメイトの女の子二人組の声だった。

「わたし、寒いのは本当に苦手なんだもん」

「でもまだ冬が始まったばかりなのに、これくらいの寒さで、トクベツキューカ使ったらもったいないよね」

やっぱり、寒さの感じ方も人それぞれみたいだ。

それからも二人は、会話をしながら歩き続ける。

「うん、また雪が降《ふ》るまで我慢《がまん》する。でも雪が降ったらさ、有希《ゆき》ちゃんも一緒《いっしょ》にトクベツキューカ使って休んで、温かい家の中で一緒に過《す》ごそうよ。コタツに入りながらハーゲンダッツ食べるの」

「えっ、アイス食べるのって夏だけじゃないの？　コタツに入りながらアイス食べるの？」

「わかってないなあ、有希《ゆき》ちゃん。温かいと冷たいのコンビネーションは、最高なんだよ」

「そうなんだ、そしたらまた雪が降《ふ》るの楽しみだね」

「うん、楽しみ！　でも、それまでなんとかこの寒さを耐《た》えなきゃ……」

「凛《りん》ちゃん、まだそんなぶるぶる震《ふる》えるくらいの寒さじゃないよお」

なんだか二人の会話がおもしろくて、ぼくは会話に入ってるわけでもないのに、楽しい登校時間になった。

そして歩きながら、改めてトクベツキューカをこれからどう使おうか、と考えてみる。

「うーん……」

結局まだトクベツキューカは使っていない。

ぼくの場合は、雪が降っても使う必要なんてなかった。だって寒さはへっちゃらだ。

それどころか、雪の扱《あつか》いには慣《な》れている。

雪が降った日には、雪だるまとか、かまくら作りとか、ぼくがみんなに教えたら、一躍《いちやく》クラスの人気者になっちゃったりして……。

「ふふっ」

学校に行くのがこんなに楽しみになっているなんて、なんだか不思議な気分だった。

トクベツキューカを使うタイミングは、今のところまだ見当たらないけど、それでもいいんだと思う。

ぼくのトクベツキューカは、このまま、とっておきのやつにしておこう。

――そう、改めて固く心に誓《ちか》ったのだった。

第五話

もう一度、きみと出会った冬

わたしは、学校にほとんど行っていない。

今のところ学校に行くのは、月に一回だけだ。

この学校には、トクベツキューカがある。

一年に一回だけ、好きなときに学校を休めるというものだ。

でも、わたしは月に一回しか学校に行っていないから、トクベツキューカのことはそんなに関係ない。

どちらかというと、登校してるときのほうが特別だから、特別登校と言った方がいいのかもしれない。

トクベツトウコウ、いや、それともトクベツトーコーかな。どっちでもいいかもしれないけれど。

わたしが一か月に一回、学校に何をしに行っているかというと、担任《たんにん》の西方先生《にしかたせんせい》に会いに行っていた。

といっても、何か授業《じゅぎょう》を受けるわけではない。自分で描《か》いた絵を渡《わた》しに行くだけだ。

それが、西方先生との約束だった。

わたしが絵を描くのが好きということを知って、提案《ていあん》してくれたのだ。
描くのは、わたしが好きなものならなんでもいいと、西方先生は言った。
だからわたしは毎月、本当に好きなものだけを描いた。

四月。道ばたに咲《さ》いた、たんぽぽの花。
五月。アスファルトの裂《さ》け目から咲くポピー。
六月。雨粒《あまつぶ》が落ち続ける、玄関先《げんかんさき》の雨どい。
七月。図書館の入り口に置かれた七夕かざり。
八月。マリンスタジアムから上がった花火。
九月。もちもちとした真っ白な、十五夜のお団子《だんご》。
十月。テーブルの上のサンマを狙《ねら》う、飼《か》い猫《ねこ》のミー。
十一月。通りを埋《う》め尽《つ》くす、きれいに紅葉《こうよう》した落ち葉。
十二月。近所の家のイルミネーション。
一月。こたつの中で丸くなるミー。

西方先生《にしかたせんせい》は、絵を見て、

「とてもよく描《か》けているね」

「なんだかわたしもお腹《なか》が空いてきちゃった」

「ミーちゃんはいつでもかわいいね」

と、いろんな感想をくれた。

西方先生が話すのは、ほとんど絵のことだけだった。学校にもっと来なさいとか、何か嫌《いや》なことがあった？　とかは、全然聞いてこなかった。

だからわたしも、月に一回の登校が嫌にならなかったのかもしれない。

学校を休んでいることを気にしないで、自然体でいられたのだ。

西方先生は、優《やさ》しかった。

だから、西方先生に会うのは好きだった。

——でも、正直このままでいいのかな、って胸《むね》の中ではいつも思っている。

だって、わたしだけがトクベツキューカのルールを無視《むし》して、学校をずっと休んでいる。

わたしも、もっとみんなみたいに、普通《ふつう》に学校に行かなければいけないと思っていた。

㊡

「青山《あおやま》さんは本当に、ミーちゃんが好きなのね」

西方先生が、今月わたしが持ってきた絵を見て言った。

二か月連続でミーが登場したからに違《ちが》いない。

「はい、よく一緒《いっしょ》にいるので」

家にいるときはいつも一緒にいた。ミーはわたしの部屋で過《す》ごすことが多いから、そばにいる時間は、家族の中でも一番長かったのだ。ときどきわたしの話し相手にもなってくれている。

「それにしても今日は寒いよね、こんな日にもよく来てくれたね」

西方先生が、窓《まど》の外を見つめて言った。

確《たし》かに見ているだけでも、寒くなってきそうな光景だった。外には昨日の夜から降《ふ》り始めた雪が、まだ積もっている。

「今はもう雪は止んでいたので」

「そう、よかった。でも帰りもちゃんと気をつけてね。滑《すべ》ったりしたら大変だから」

「はい、気をつけます」

わたしはこくりとうなずく。

それから言葉を続けたかったけど、うまく出てこなかった。

本当は、もっと話したいことがあるのに。

もっと、話すのがうまくなりたいって思う。

ミーに話しかけて練習はしていたけど、ミーは言葉を返してくれないから、言葉のキャッチボールの練習まではできないのだ。

「……」

わたしがそのまま黙《だま》っていると、西方先生《にしかたせんせい》が小さくうなずいてわたしを見つめた。

わたしが話し始めるのを、ちゃんと待ってくれているかのようだった。

「……あの、わたし」

そのおかげでもう一度、話しはじめることができた。

「……みんなみたいに、学校に行かなきゃだめですよね？」

わたしがそう言うと、西方先生はほんの少し考えるような顔をしてから、言葉を返してくれた。

「どうだろうね。もちろん青山《あおやま》さんが学校に来てくれたら先生は嬉《うれ》しいけど、『みんなみたいに』とか、『行かなきゃだめ』って、ことではないと思うよ。人それぞれ、いろんな事情《じじょう》があるし、なによりも一番大事なのは青山さんの気持ちだと思うから」

それから西方先生は、わたしに向かってある質問《しつもん》をした。

「この学校って、特別休暇《とくべつきゅうか》の校則《こうそく》があるでしょう？　青山さんは、なんでこの特別休暇ができたか知ってる？」

「……確か、生徒一人一人が、自分で考えて選んで行動することを学んだりとか、色々《いろいろ》な家の事情に合わせるためとか、そういうことだったと思いますけど」

「うん、よく覚えてるね。えらい、青山さん」

そう言ってわたしのことを褒《ほ》めてから、西方先生《にしかたせんせい》は言葉を続ける。

「わたしもね、最初はそういうふうに始まったんだろうなあって、もちろん思ってる。例えばほかの県では、基本的《きほんてき》には家族で一緒《いっしょ》に社会学習を楽しむことを目的として、『ラーケーション』という、一年の間に数日の休みを設《もう》けているところもあるからね。こういう活動は、これからも全国的に広がっていくと思うよ」

西方先生は、言葉を続ける。

「でも、この習千葉小学校《ならちばしょうがっこう》の特別休暇《とくべつきゅうか》は、もう少し変わってるよね。先生にも親にも内緒《ないしょ》で、学校を休むことができちゃうんだから。どうしてこんな特別な形にしたんだろうと思ったけど、やっぱり気持ちの面が大きいかなって、先生は思ったの」

「気持ちの面？」

「うん、いつかどこかで、好きなときに一日だけ休める。そう思っているだけで少し気分が楽になるもんね。それに、学校を休むこと自体は、そんなに自分を責《せ》めてしまうような、悪いことではないって思えるし」

それはわたしへのフォローのために言ってくれたんだと思うけど、西方先生にはまだ、ほかの理由もあったみたいだ。

「……実を言うとさ、先生も小さいころ、あんまり学校に行ってなかった時期があったんだよね。保健室登校《ほけんしつとうこう》とかしてさ」

「そうだったんですか……」

　意外だった。

　いつも元気で明るい西方先生が、わたしのように学校を休んでいたなんて、ぜんぜん想像《そうぞう》がつかなかったから。

「うん、だからわたしが小学校のころにさ、こういう特別休暇みたいな休みがあればすごくよかったのに、って思っちゃった。もちろん当時のわたしは、何日も休んじゃってるから、特別休暇の一日じゃ足りないんだけど、それでも学校が『トクベツキューカ、はじめました！』なんて言ってくれれば、ずいぶん気が楽になったと思う。それこそ、わたしも新しい何かを始められるくらいに」

　西方先生の言葉に、小さくうなずく。

　わたしも、トクベツキューカに救《すく》われているところがある。

この校則《こうそく》がなければ、もっと自分のことを責《せ》めてしまっていたはずだ。

「……」

でもやっぱり、時間が経《た》つにつれて思ってしまうのは、このままでいいのかな、ということだ。

今はわたしだけが、クラスの中でこんなにも長く休んでしまっている。

トクベツキューカの一日よりも、ずっと長く——。

「……それでもわたし、みんなみたいに普通《ふつう》に学校に行かなくちゃいけないって、思ってしまうときがあるんですけど……」

胸《むね》の中が少し苦しくなって言葉を漏《も》らすと、西方先生《にしかたせんせい》はわたしを見つめてから言った。

「——普通って、なんだろうね」

「えっ？」

最初に言われたときは、その言葉の意味が、すぐにわからなかったのに、なんだか胸の奥《おく》がジンとした。

そして西方先生は、わたしの瞳《ひとみ》をまっすぐに見つめて言葉を続ける。

「普通になるってさ、もしかしたらすごく難《むずか》しいのかもね。この学校だけでもこんなにもたくさんの子たちがいるし、学校の外に出ればもっとたくさんの人たちがいる。その中でも人それぞれの普通があって、その普通自体がうまく説明できないものだからさ」

「普通……」

そう言われると、わたしもますますよくわからなくなる気がした。

普通ってなんだろう。

みんなと同じってことだろうか。

でも、それだとみんなそれぞれの普通があるから、どうすれば同じになるのか、わからなくなる。

うまい説明は、やっぱりできない。

そして西方先生《にしかたせんせい》は、窓《まど》の外を見つめてから、言葉を続けた——。

「こんなにたくさんの子たちがいるんだから、普通《ふつう》なんて、もともとないのかもね。みんな普通なんじゃなくて、みんな特別なんだと思うよ」

「みんな普通じゃなくて、みんな特別……」

「うん、そう。みんな特別」

そこで西方先生が、照れるような顔をしてから言った。

「先生が青山《あおやま》さんと同じくらいの歳《とし》のころにね、そんな歌が流行《はや》ったのよ。もともとみんな特別って、とても素敵《すてき》なことだよね」

休

帰り道、雪が敷《し》き詰《つ》められた道を歩いていた。

雪の上を踏《ふ》むたびに、きゅっと音が鳴る。

遠くを車が走る音がする。

どこからかカラスの鳴き声が聞こえる。

わたしの心臓《しんぞう》の音がする。

心の奥《おく》で、西方先生の言葉がこだましている。


「——普通って、なんだろうね」


歩きながら、わたしは西方先生から言われたことを、もう一度考える。

「普通って……」

なんだろう。

「特別って……」

なんだろう。

こんなにも悩《なや》んでしまうのは、わたしにとっての普通は、ほかのみんなにとっての特別で、ほかのみんなにとっての普通《ふつう》は、わたしにとっての特別だと思っていたからかもしれない。

くなる。

でもそう考えてみると、やっぱり普通っていうのが、どういうことなのかわからな

いのかもしれない。

西方先生《にしかたせんせい》の言った通り、普通なんてもともとなくて、普通の人なんて、一人もいな

がいる。

だって、顔を上げて、少しまわりを見渡《みわた》してみただけでも、こんなにたくさんの人

活がある。

その人たち一人ひとりにいろんな気持ちの変化があって、事情《じじょう》があって、人生や生

けどそれは表面だけでは、どうやっても知ることができない。

西方先生だって、今は全然そんなふうに見えないのに、昔はあんまり学校に行って

いなかったと言っていた。

でも、そうなんだとしたら、そこの通りをにこにこと笑顔で歩いているおばあさん

も、昔は大変なことがあったのかもしれない。

少し離《はな》れた公園で声を上げながら遊んでいる子たちも、家では困《こま》っていることがあるかもしれない。

信号を渡《わた》りながらイヤホンで音楽を聴《き》いているお兄さんも、本当は悩《なや》みがあるかもしれない。

そしたらやっぱり普通の人なんて、この世界に本当にいるのだろうか。

みんな普通なんじゃなくて、みんな特別。

その言葉の方が、やっぱりしっくりくる気がする。

「あっ――」

そのとき、自分の胸《むね》の中で何かが弾《はじ》けるような音がした。大切なあることに、気づいたのだ。

わたしはずっと、普通になりたいと思ってなれなかったけれど、もしかしたら、みんなと同じ特別にはなれるのかなって――。

――そう思えた瞬間《しゅんかん》、目の前の世界が、さっきよりもはっきりと、きれいに見える気がした。

けれど、それは気のせいではなかったのかもしれない。

また、雪が降《ふ》ってきたのだ。

目の前の世界がどんどん真っ白になっていく。

幻想的《げんそうてき》な白の光景。

わたしの名前と、一緒《いっしょ》の雪。

「きれい……」

こんなにも、雪がきれいに見えるのは初めてだ。

知らなかった。

自分の内側の気持ちが違《ちが》うだけで、こんなにも自分の外側の景色が、別世界のように見えるなんて――。

「あっ」

今度は雪じゃない。

まっすぐ向かいに、ある子を見つけた。

さっき、学校に行くときに声をかけてくれた女の子だ。

「……」

わたしは、真っ白な世界を、まっすぐ歩き続ける。

さっきは、突然《とつぜん》のことでびっくりして、うまく声が出てこなかった。

でも本当は、話しかけてくれて嬉《うれ》しかった。

だから今度は、わたしの方から勇気をふりしぼって話しかけたい。

それから、雪が降って目の前の世界がこんなにもきれいだったんだということを、誰《だれ》かと分かち合いたい。

今もう一度、特別なこの瞬間を――。

「あの……」

最初の言葉が出てきてくれたあとは、少し時間がかかったけれど、ちゃんと続きを言うことができた。

「……雪がきれいだね」

すると目の前の女の子は、「うん、きれいだね」と言って小さく笑ってくれた。

そのときが、わたしと凛《りん》ちゃんの特別な出会いの始まりの瞬間《しゅんかん》だった――。

――あの雪が降《ふ》った日、凛ちゃんとはたくさんの話をした。

雪が敷《し》き詰《つ》められた道を一緒《いっしょ》に歩く中で、凛ちゃんは、わたしに向かって「ゆーきやこんこ」と言ってくれた。「有希《ゆき》ちゃん来い来い」という意味で言ってくれたのだ。

そのときは、単なる遊びのお誘《さそ》いではあったんだけど、その言葉は、ずっと学校に行けていなかったわたしの背中《せなか》を、そっと押《お》してくれた。

凛ちゃんが、「ゆーきやこんこ」って、「有希ちゃん来い来い」って、言ってくれて、わたしも学校に行ってもいいのかなって思えたのだ。

本当に単純《たんじゅん》で、とてもささいなことかもしれないけれど、わたしにとってはすごく嬉《うれ》しかったんだ。

それからわたしは、前よりも学校に行く回数が増《ふ》えて、六年生になってからは最初から教室に行くようになった。

凛《りん》ちゃんと同じクラスになれたのは、とても嬉《うれ》しかった。しかも、もう一つ嬉しかったのは、担任《たんにん》が西方先生《にしかたせんせい》だったことだ。

二人がいてくれるだけで、すごく心強くて、それだけで、また明日も学校に行きたいと思える。

それにわたしと凛ちゃんは、誕生日《たんじょうび》が近かったので、席もすぐそばだった。教室の中で凛ちゃんと目が合ったときは、思わず笑ってしまった。

クラスの中では、委員会も決めることになって、わたしは凛ちゃんと一緒《いっしょ》に放送委員会に入った。

前からずっと入りたいと思っていたから、立候補《りっこうほ》したのだ。
――そして今日、わたしが初めて昼放送を担当《たんとう》する日を迎《むか》えている。
新入生に向けて、この学校のちょっと特別な校則《こうそく》についてのお話をすることになった。
正直言って、緊張《きんちょう》している。
まだ上手《うま》くできるかわからない。
でも、トクベツキューカみたいに、わたしも新しいことを始めたいと思ったのだ。
だから、一生懸命《いっしょうけんめい》気持ちを込《こ》めて伝えたいと思う。
あの日、部屋の中で一人、ミーと話して練習したように。
そしてあの雪の日、勇気をふりしぼって凛ちゃんに話しかけたように――。

「ふう……」

ひとつ息を吐《は》いてから呼吸《こきゅう》を整えて、マイクに向かって語りかける――。

「新入生のみなさん、こんにちは。今日は、習千葉小学校《ならちばしょうがっこう》にある、特別な校則《こうそく》のお話をします。一年の中で一日だけ、好きな日に学校を休んでもいいという特別休暇《とくべつきゅうか》の日、通称《つうしょう》トクベツキューカのことです――」

清水晴木

（しみず・はるき）

千葉県出身。2011 年、函館港イルミナシオン映画祭第 15 回シナリオ大賞で最終選考に残る。2015 年、『海の見える花屋フルールの事件記〜秋山瑠璃は恋をしない〜』（TO文庫）で長編小説デビュー。以来、千葉が舞台の小説を上梓し続ける。著書に、ドラマ化で話題になった『さよならの向う側』シリーズ（マイクロマガジン社）などがある。本書が初の児童文学作品となる。

いつか

イラストレーター。書籍装画、挿絵、漫画、キャラクターデザイン、広告、パッケージイラストなど多方面で活躍中。作品集『いつの日か いつか作品集 ILLUSTRATION MAKING & VISUAL BOOK』（翔泳社）がある。児童書の装画担当書籍に『大渋滞』（PHP 研究所）、「悪ガキ7」シリーズ（静山社）、『ラベンダーとソプラノ』（岩崎書店）、令和 6 年度小学校教科書道徳『新版 みんなのどうとく』表紙絵（学研）などがある。

トクベツキューカ、はじめました！

2024 年 5 月 31 日　第 1 刷発行
2024 年 8 月 15 日　第 2 刷発行

作　清水晴木

絵　いつか

発行者　小松崎敬子

発行所　株式会社 岩崎書店
〒112-0005
東京都文京区水道1-9-2
電話　03-3812-9131（営業）
　　　03-3813-5526（編集）

印刷　三美印刷株式会社

製本　株式会社若林製本工場

装幀　長﨑 綾

ISBN 978-4-265-84049-6　NDC913　160P　22×15cm

Published by IWASAKI Publishing Co., Ltd.
Printed in Japan

岩崎書店HP　https://www.iwasakishoten.co.jp
ご意見ご感想をお寄せください。info@iwasakishoten.co.jp
乱丁本・落丁本は小社負担でおとりかえいたします。